D0892317

TOUT CE QUI TOMBE

DU MÊME AUTEUR

Chaque automne j'ai envie de mourir (avec Steve Gagnon),
   Septentrion, collection « Hamac », 2012.

Véronique Côté

Tout ce qui tombe

théâtre

LEMÉAC

Ouvrage publié sous la direction de
Diane Pavlovic

Photographie de couverture : © Maude Chauvin

Toute adaptation ou utilisation de cette œuvre, en tout ou en partie, par quelque moyen que ce soit, par toute personne ou tout groupe, amateur ou professionnel, est formellement interdite sans l'autorisation écrite de l'auteur ou de son agent autorisé. Pour toute autorisation, veuillez communiquer avec l'agent autorisé de l'auteur : Karine Lapierre de l'Agence Lapierre-Provencher, 5130, rue Saint-Hubert, bureau 211-213, Montréal (Québec) H2J 2Y3.
514 245-8020, karine@lapierre-provencher.com

Crédit, p. 119 : *Dance me to the end of love*, © 1984 Sony/ATV Music Publishing LLC. All rights administered by Sony/ATV Music Publishing LLC, 8 Music Square West, Nashville, TN 37203. All rights reserved. Used by permission.

Leméac Éditeur reconnaît l'aide financière du gouvernement du Canada par l'entremise du Fonds du livre du Canada pour ses activités d'édition et remercie le Conseil des arts du Canada, la Société de développement des entreprises culturelles du Québec (SODEC) et le Programme de crédit d'impôt pour l'édition de livres du Québec (Gestion SODEC) du soutien accordé à son programme de publication.

ISBN 978-2-7609-0428-6

© Copyright Ottawa 2012 par Leméac Éditeur
4609, rue D'Iberville, 1er étage, Montréal (Québec) H2H 2L9
Dépôt légal – Bibliothèque et Archives nationales du Québec, 2012

Imprimé au Canada

ma vingtaine de va-et-vient
ma vingtaine de valises
ma vingtaine à t'écrire des poèmes
que je ne t'ai jamais fait lire

ma vingtaine perdue éperdue

ma vingtaine d'eau vive
de forêts
d'Adriatique d'îles de pavés de palais
ma vingtaine de grands rêves
de défaites
de présages

ma vingtaine de chemin

ma seule vingtaine
ma belle vingtaine
comme je t'ai aimée

comme je t'ai aimé

À toutes les amours de notre vingtaine,
qui nous ont appris l'amitié.
Aux amours à venir,
qui nous apprendront l'amour, j'espère.

CRÉATION ET DISTRIBUTION

La pièce a été créée à Québec le 18 septembre 2012
au Théâtre du Trident,
en coproduction avec le Théâtre des Fonds de Tiroirs,
et en codiffusion avec le Théâtre d'Aujourd'hui,
dans une mise en scène de Frédéric Dubois.

ROSE : Julianna Herzberg
MORITZ : Benoit Mauffette
CHARLOTTE : Marie-Hélène Gendreau
CHRISTOPHE : Olivier Normand
MARIE : Catherine-Amélie Côté
SOPHIE : Édith Patenaude
MARCO : Steve Gagnon

Scénographie : Marie-Renée Bourget Harvey
Costumes : Yasmina Giguère
Éclairages : Caroline Ross
Musique : Pascal Robitaille
Projections : Lionel Arnould
Assistance à la mise en scène et régie :
Adèle Saint-Amand

PERSONNAGES

Rose
Moritz
Charlotte
Christophe
Marie
Sophie
Marco

LIEUX ET TEMPS

À moins d'indication contraire, toutes les scènes se passent à Berlin, dans différents endroits de la ville (aéroport, cafés, atelier-boutique de lutherie de Christophe, appartement de Charlotte et Christophe, appartement de Sophie et Marco, rues, parcs, rives de la Spree, clinique médicale, etc.).

En 1989, Rose et Moritz ont 21 et 24 ans. Ils vivent dans Berlin-Est. Ils sont Allemands.

En 1999, Christophe et Charlotte ont 31 et 33 ans. Marie a 25 ans. Christophe et Charlotte habitent ensemble à Berlin, Marie y est de passage. Charlotte est Allemande, mais elle parle très bien français.

En 2009, Marco et Sophie ont 25 et 23 ans. Ils sont à Berlin dans le cadre d'un stage que fait Sophie. Marie a 35 ans. Elle habite Berlin et y tient le café Blumen für Pina. Christophe et Charlotte ont 41 et 43 ans. Christophe est rentré au Québec : il travaille désormais pour ATS Canada dans un centre de service à Montréal. Rose et Moritz ont 41 et 44 ans.

Note : Rose et Moritz parlent toujours allemand, sauf indication contraire. Pour faciliter la lecture, leur partition est donnée en français. Pour obtenir la traduction allemande de leurs scènes (ainsi que de certaines répliques de Charlotte, de Marie et de Marco), prière de s'adresser à l'auteure ou à son agente. En représentation, les parties du spectacle qui sont jouées en allemand seront surtitrées en français.

PROLOGUE

Tout n'est pas perdu

2009. Aéroport.

MARIE. J'attends toujours que quelque chose arrive.
Dans la vie je veux dire.
J'espère un hasard magnifique.

Je sais que les choses *arrivent* pas en général
pas toutes seules
je sais qu'y faut souvent
soi
soi-même
seul
tout seul
faire advenir ses propres histoires.
Mais.
En même temps.
Je peux pas m'empêcher de me dire que
une fois
une bonne fois
quelque chose enfin arrivera sans moi
pis que ce sera vraiment
que ce sera vraiment magnifique.

Au début je voulais juste te parler.
Pour te tenir.

Je voulais te parler de miracles pis de culpabilité.
D'amours impossibles
d'humanité
de maçonnerie.

Je voulais te parler de fidélité
d'Amérique
de réserves amérindiennes
de communisme
de folie.
Je voulais te parler de littérature pis de déception
d'arpentage
de lutherie
de la Palestine
du chagrin de nos mères.
Je voulais te parler du Danube pis aussi du mur des
Lamentations
mais je sais pas pourquoi là
quelque chose a tourné :
c'est toi qui m'as tenue.
Je sais pas comment t'as fait ça.
Moi
j'ai arrêté d'être hypnotisée par des défaites qui sont
pas encore advenues.
J'ai arrêté d'attendre
on dirait.

Je suis souvent venue à l'aéroport.
Je me suis souvent retrouvée toute seule après
mais là c'est pas pareil.

Au début
je voulais trouver comment te raconter que tout n'est
pas perdu.

Mais je pense que
je pense que c'est pus nécessaire.

PREMIÈRE PARTIE

TRÈS BEAU

1989. Rose est au téléphone.

ROSE. On attendait.
Chacun de notre côté de la rue
on attendait pour traverser.
On s'est vus.
Je veux dire :
on s'était déjà vus
mais on ne s'était pas revus depuis qu'Anton était parti.
Ce qui fait qu'on a eu notre feu pour piétons
mais qu'aucun de nous n'a traversé
on est restés tous les deux chacun de notre côté sur
notre trottoir
à attendre comme des idiots
à attendre comme des imbéciles que l'autre traverse
on est restés chacun là
à sourire et à ne pas traverser
comme des acteurs comiques
et on s'est mis à rire parce que personne n'avait bougé
et que c'était raté
on riait chacun de notre côté du boulevard
c'était très drôle
et on a finalement traversé le tour d'après mais tous
les deux en même temps
et comme on n'allait pas dans la même direction on
s'est rejoints au milieu de la rue
il a dit : « Rose, ça va ? » et moi je ne me souvenais
même plus de son nom
je ne me souvenais plus de rien

j'ai dit : « Oui ! Oui ! »
et on n'allait pas se mettre à discuter au milieu du
boulevard
alors il a fait demi-tour
il m'a suivie et il a monté mes paquets chez moi
chez ma mère.
J'avais trouvé du savon et des pommes.
Il m'a raccompagnée
et tout ce temps-là je l'ai trouvé beau.

Il a des petites veines rouges
roses
sur ses paupières
ses paupières sont presque transparentes
ses paupières sont comme en papier.
Ça fait bizarre de le raconter mais quand tu regardes
c'est beau.
C'est des paupières fragiles
des paupières de moine ou de papillon ou de peintre.
On dirait que peut-être si on regardait bien la nuit on
pourrait voir à quoi il rêve.
Il a les yeux tristes
mais juste si tu regardes très bien.
Il a les yeux de quelqu'un qui pourrait devenir très
triste s'il te perdait.
Si tu regardes vite tu ne vois pas ça.
Il ferme ses yeux quand il chante
c'est pour ça que j'ai vu ses paupières de papier
quand il fait ça il rentre à l'intérieur de lui
comme si là-dedans c'était très grand.
Il chante en cachette.
Il chante juste pour lui
et pour moi il a chanté une fois au parc mais je crois
qu'il est vraiment très gêné.
Il m'a chanté du Barbara
en français

tout bas au parc.
Il ne chante pas comme Anton.
Anton il criait
c'était beau quand il chantait en criant
tu te souviens
Anton
avec sa guitare
mais c'était triste aussi
de toute façon je ne me souviens presque plus
d'Anton.
C'est vrai
parfois le soir avant de dormir
j'essaie de voir son visage dans ma tête
je ne suis plus capable
on dirait que je l'oublie.
Mais ce n'est pas la même musique.
Sa musique à lui elle vient d'ailleurs
d'une autre vie presque
quand il a chanté du Barbara pour moi
je me suis demandé si je rêvais.
Il vient dans la cuisine chez ma mère
il porte mes paquets jusqu'en haut des sept étages
il a des bras merveilleux.
Dans la cuisine de ma mère
je me retiens de tout mon corps pour ne pas toucher
ses beaux bras.
Ses bras ne sont pas comme ses paupières
ses bras ne sont pas fragiles.
Ses bras se tiennent là
dans la cuisine
pour toujours on dirait.

Je lui ai dit pour mon bébé.
Il n'est pas parti.

Je pense qu'il est bon.
Je pense que c'est un homme bon.

Je pense que c'est très rare
la bonté.
Je le trouve beau
j'aime ses yeux
j'aime ses bras
c'est vrai
mais je le trouve surtout bon.
J'ai cru que j'avais trop de peine et que je ne pourrais
plus jamais
mais lui
je vais pouvoir peut-être.
Je pense qu'il ne disparaîtra pas.
Et je pense que je vais lui dire oui.
Quand je pleure
il ne demande jamais pourquoi
je pense que lui aussi
il voit au travers de mes paupières.
Ce que j'ai perdu
il le voit.
Il est apparu
comme une réponse
comprends-tu?
Dans la vie
il y a des gens qui cherchent une fleur rare
ou une phrase
ou une équation
ou un endroit sur la Terre pour arrêter d'avoir mal.
Moi c'est lui que je cherchais:
il est ma réponse.
Je ne savais même pas que j'étais une question.

RESTER

2009. Lit. Sophie dort.

MARCO. À quoi tu rêves ?
Je me demande souvent ce qu'y a dans ta tête la
nuit.
Ta petite tête dure.
Ta petite tête de bique.
Ta belle tête de brique.
Toi tu dors toujours bien
tu dors tout le temps profondément.
Tu dors en souriant
je pensais pas que ça se pouvait, ça.
Ni se réveiller en éclatant de rire.
Tu fais ça des fois :
ton rire te réveille.
Quand tu fais ça
je t'aime tellement que ça me fait mal.

Je t'envie ça.
Ça et pis plein d'affaires.

Moi
la nuit
des fois
je rêve dans une langue que je comprends pas
pis j'entends toujours une musique.
Depuis que je sais que je perds l'ouïe
j'entends de la musique dans mes rêves.
Ça me fait pleurer.
Tu me demandes pourquoi je pleure

je réponds jamais rien parce que j'ai honte :
c'est pour ça.
C'est à cause de la musique qui est en train de me
dire adieu
dans mes rêves
la nuit.
C'est pour ça que je dors pas.
C'est pour ça que je pleure quand je dors.

Est-ce que tu m'entends ?
Est-ce que
quelque part
quelque chose en toi m'entend ?
Quand je te parle la nuit
comme ça
c'est comme si c'était toi qui étais sourde.

C'est dégueulasse ce que je vas dire
mais des fois
j'aimerais ça que ce soit toi.
Toi qui entends mal
moi qui prenne soin de toi.

Est-ce que tu me trouves lourd, mon amour ?

Est-ce que je t'empêche de quelque chose ?
Est-ce que je te gâche la vie
avec mon chagrin
avec ma défaite ?

Est-ce qu'on s'est rencontrés trop tôt ?
Question de marde
mais question quand même.

Quand tu vas te rendre compte que c'est vrai
que je t'entends de moins en moins
que je suis en train de perdre ça pour vrai
que je m'enfonce de plus en plus loin dans le silence

que t'es comme sur une rive
que je m'éloigne en bateau pis que je te vois au loin
qui gesticules et pis qui cries
qui cries
mais pas un son
quand tu vas vouloir que je t'entende
pis que je pourrai plus
même pas un peu
qu'est-ce que tu vas faire?

Quand tu vas t'apercevoir de l'épaisseur du silence autour de moi
pis te rendre compte que tu peux pas venir me rejoindre
vas-tu rester?

Vas-tu rester quand même?

Ce que tu fais là

1999. Atelier-boutique de lutherie.

CHRISTOPHE. Mon grand-père avait un violoncelle
dont y savait pas jouer.
Ça me fascinait cet instrument muet dans le grenier
chez eux
je trouvais ça beau pis triste.
Le plus triste
c'est surtout que j'ai jamais demandé
je me rappelle pas avoir demandé
pourquoi y avait ce violoncelle-là.
Qui lui avait donné
ou en tout cas
comment y l'avait eu.
On demande pas assez
les gens aiment ça parler
on leur demande jamais de le faire
c'est dommage je trouve.
Vraiment.
Mon grand-père lui y avait un violoncelle dans son
grenier
un bel instrument en forme de femme.
Y en a jamais joué
c'est bizarre non?
Qu'est-ce qui fait que tu achètes un violoncelle si tu
sais pas jouer?
Je veux dire :
c'est pas un instrument banal
c'est pas comme une flûte à bec ou un harmonica.

Tu peux pas non plus juste trouver un violoncelle
euh
c'est pas rien
un violoncelle.
Peut-être que j'ai jamais demandé parce que la
réponse pouvait juste être triste.
Une histoire de femme
non?
Une histoire de
je sais pas
d'une autre femme.
Une histoire de pas ma grand-mère ou d'avant ma
grand-mère
un premier amour tsé
un amour qui a pas pu
qui est parti ou
qui est mort.
Une morte
une morte qu'on a aimée
une tuberculeuse
je sais pas
ou une histoire de déception tellement profonde
tellement grave
as-tu déjà été gravement déçue?
Moi oui.
Je voulais pas le faire parler si c'était trop triste.
Je voulais pas faire pleurer mon grand-père.
Mon grand-père qui avait toujours voulu aller passer
ses hivers en Floride
mais qui l'avait fait juste une fois dans toute sa vie.
Rêver de Floride pis y aller juste une fois
heille
c'est pas des grands rêves impossibles là
la Floride!
Ma grand-mère

je pense qu'elle était pas bien là-bas
mais mon grand-père
mon grand-père dans l'hiver québécois
je me disais
je pense
que c'était forcément délicat.

Mais non

tu vois
maintenant j'y repense en me disant le contraire :
c'était forcément banal.
C'est comme encore plus triste tu trouves pas ?

C'était sûrement rien.

J'ai bien fait de jamais demander peut-être.

Peut-être que ç'aurait été ça la solution aux yeux
mouillés de mon grand-père
que mon grand-père ait eu une grande histoire
d'amour en forme de violoncelle
cachée dans son grenier
sans qu'y ait pu en jouer
mais quand même
que ça ait
je sais pas
que ça ait existé.

Un peu comme la Floride :
une fois.
Pas toute la vie
mais au moins une fois.

Ça fait tellement longtemps que j'ai pas parlé avec
une Québécoise
je suis comme fou !
Je parle beaucoup.
Tu me le dis si je t'ennuie.

Je peux me taire, aussi.

J'ai hérité du violoncelle, c'est pour ça :
c'est lui
c'est le violoncelle de mon grand-père
muet
dans la vitrine.
C'est une des seules choses que j'ai apportées ici.
Je me suis toujours dit que j'apprendrais
qu'avec un peu de temps
de
je sais pas
de volonté
mais ça s'est pas passé.
J'ai jamais appris.

MARIE. T'as jamais appris, mais t'es devenu luthier.

CHRISTOPHE. Ouain. Je suis devenu ça.

MARIE. Luthier à Berlin. Quand même ! Pis tu t'es retrouvé ici comment ?

CHRISTOPHE. En tombant en amour, quoi d'autre.

MARIE. Ah, je sais pas, moi ça m'arrive jamais ça. Mais c'est une bonne raison. J'imagine.

CHRISTOPHE. Toi, toi – toi, qu'est-ce que tu fais ici déjà ?

MARIE. Ben là, mettons immédiatement, je cherchais juste des toilettes.

CHRISTOPHE. Ah oui ! J'ai comme changé de sujet !

MARIE. Heille, c'est pas grave, c'était super intéressant /

CHRISTOPHE. C'est ici. C'est juste derrière, faut juste enjamber… ça, voilà, par ici.

MARIE. Oh wow ! C'est /

CHRISTOPHE. Non, c'est ça, y a juste un petit rideau, mais vas-y, j'écoute pas.

MARIE. Euh, oké.

CHRISTOPHE. C'est comme l'équivalent urbain de faire pipi dans le bois.

MARIE. Oké super, mais on arrête de parler, par exemple, ça me gêne vraiment, on dirait. Oké non : c'est pire. Euh, chante ? Ou joue du violon ? Tu joues-tu du violon ?

CHRISTOPHE. Oui, mais euh, c'est bon, je vas appeler ma femme, d'abord.

MARIE. Ah ? Ben oui. Ben oui, bonne idée.

Pas ta mère

2009. Appartement.

MARCO. Non, regarde, écoute, tu peux pas faire comme si tu comprenais, tu comprends pas c'est sûr, je veux dire comment tu pourrais comprendre, comment tu pourrais : t'es tellement juste – t'es tellement occupée. T'es tellement belle pis occupée.

SOPHIE. Arrête de me dire que je suis belle tout le temps, je suis pus capable. Ça sert à rien d'être belle, c'est pas ça le point, pis oui, je suis occupée, je suis occupée, je peux pas rester avec toi tout le temps, on peut pas faire comme si on avait juste ça à faire être amoureux, on est ici pour mon stage, je suis venue faire mon *sta-ge*, penses-tu que j'ai le goût d'aller préparer du café pis faire des photocopies pour des vieux monsieurs comme si j'avais étudié pour être secrétaire, ben non, non ça me tente pas, mais toi, toi t'as juste à aller te promener sur le bord de l'eau pis à t'acheter des bandes dessinées, fait que fais donc ça, pis si ça te dérange pas, moi je vas aller faire du café, je vas aller vivre mon purgatoire professionnel tranquille ! On avait dit que ce serait ça ! Je comprends pas c'est quoi ton problème – crisse, Marc-Olivier, on est à Berlin, pas à Baie-Comeau, c'est impossible que tu t'ennuies, c'est n'importe quoi ce que tu dis. Je suis tellement tannée. Qu'est-ce que tu vas faire si y faut qu'on habite à Genève ? Heille, Genève, ça, c'est plate pour vrai. C'est plate en crisse, Genève, je peux-tu te le dire ?

MARCO. J'ai rien compris de ce que t'as dit.

SOPHIE. Comme par hasard.

MARCO. Quoi?

SOPHIE. Rien.

MARCO. J'ai peur ici.

SOPHIE. Tu m'épuises.

MARCO. J'ai peur ici.

SOPHIE. Marc-Olivier, calvaire, t'as quel âge?

MARCO. J'haïs ça quand tu m'appelles Marc-Olivier, t'es pas ma mère. J'haïs ça quand tu sacres, j'haïs ça quand tu parles fort sans me regarder. J'haïs ça ici, oké? T'es dégueulasse, je te dis que j'ai peur pis tu m'entends – tu m'écoutes même pas. Franchement, comment tu penses que je me sens de dire à ma blonde que j'ai peur pour aucune raison dans une ville où tout le monde a l'air de tripper sauf moi?

SOPHIE. Heille, une chance que t'es handicapé toi, han, sinon on se demande comment tu ferais pour faire assez pitié pour vivre.

MARCO. Va chier.

SOPHIE. Ben c'est ça, va chier, va donc chier, Marco.

MARCO. Laisse-moi pas tout seul.

SOPHIE. Je suis pas ta mère.

Secret

1989. Lit. Sous les draps. Lampe de poche. Rose raconte à Moritz.

ROSE. Le sais-tu ce que c'est de laisser partir un enfant
le sais-tu ?
Perdre sa petite parce que tu te dis :
« Je vais la sauver. »
Mais la perdre quand même
parce que tu perds la trace.
Tu la mets dans les bras de l'autre femme
celle qui risque sa vie pour t'aider
aider ta fille.
Tu le sais que ça va être mieux de l'autre côté
tu te dis je vais aller la rejoindre
je vais la retrouver après.
Tu lui dis :
« Je vais te retrouver, mon bébé
maman va revenir te raconter tout plein de belles
histoires dans tes petites oreilles en sucre
maman va revenir
maman va revenir. »
Tu le dis
et le disant tu sais que ce n'est pas vrai
le disant
tu sais que tu dis le mensonge le plus désolé de toute
ta vie
le mensonge le plus triste de vos deux vies.
Tu mens à ton enfant
à la petite qui te regarde

et qui te croit :
c'est ça le plus horrible
elle te croit
comment veux-tu qu'elle ne te croie pas ?
« Maman va te retrouver. »
Elle me regardait et elle me croyait
avec ses yeux bleus de nouveau-né
ses yeux d'eau profonde
comme si elle arrivait du fond de la mer.
Ma petite.

Il faut que je te raconte.

Je te le raconte une fois.

Son père s'appelait Anton
mais tout le monde l'appelait Toni.
Il chantait du punk
du punk chrétien
il était beau comme Jésus quand il chantait.
C'était juste pour sortir
l'église
c'était juste pour ça.
Il m'aimait.
Je pense qu'il m'aimait
je me dis
je me raconte en tout cas qu'il m'aimait.
Au moins ça.
On a fait cette enfant-là en une seule fois
ce sont des choses qui arrivent.
Ça nous est arrivé.
Je me dis que c'est parce qu'on s'aimait tellement.
Il ne l'a jamais su
pour le bébé
il est parti avant.
Je ne pouvais pas lui en vouloir
je l'aimais

je l'aimais
je l'aimais tellement.
Je l'aimais de vouloir partir autant que moi.
Je l'aimais d'en être capable.
Partir c'était la seule chose
c'était tout ce que je voulais
c'était tout ce qu'il voulait.
Comment j'aurais pu lui en vouloir?
Il a été à la frontière
il a déposé son passeport
il a dit:
«Je veux quitter ce pays.»
C'est ce qu'il m'a dit qu'il partait faire en tout cas
ce matin-là
le dernier.
Je ne savais pas encore que j'étais enceinte.
Il est parti
il n'est plus revenu.
Je ne l'ai jamais retrouvé lui non plus.

Mais je ne crois pas qu'il ait réussi
sais-tu?
Je ne crois pas finalement.

«Maman va te retrouver.»
Mon bébé me regardait
et elle me croyait.

Elle était tellement petite
tu ne peux pas savoir
elle était tellement petite.
La femme m'a dit:
«Vous êtes sûre
êtes-vous sûre, mademoiselle?»
Je pleurais tellement
je lui ai dit:
«Oui

oui
prenez-la
prenez-la
prenez-la. »
J'ai embrassé son cou une dernière fois.
J'ai pris sa petite main
ses petits doigts
elle était si petite
ses petits doigts enroulés autour de mon index
j'essayais de respirer son odeur
le plus profondément possible
pour la garder
pour la reconnaître
la reconnaître à l'odeur
la retrouver à l'odeur
plus tard
ailleurs.
Elle sentait les nuages.
Elle sentait le ciel bleu et la crème.
Elle me regardait
avec sa petite lèvre en u
elle était calme.
On aurait dit que c'était elle qui essayait de me
consoler
avec ses grands yeux maritimes
ses grands yeux d'eau salée.

Je n'ai jamais vu la mer
sauf dans les yeux de mon bébé.
La mer est belle
la mer est magnifique.
J'ai peur de ne plus jamais la revoir.

Je n'ai jamais été à la frontière

je n'ai jamais dit :
« Je veux quitter ce pays. »

Je veux quitter ce pays.

Parfois je me demande si j'ai rêvé tout ça.

Parfois je me demande si la mer existe
si quelqu'un l'a déjà vue pour de vrai.

Pardon
pardon
je suis désolée
je suis tellement désolée.

JE T'AIME BEAUCOUP

2009. Au téléphone. Sophie est à Berlin, Christophe est à Montréal.

SOPHIE. Enwoye, c'est ben long…

CHRISTOPHE. Oui, bonjour, service de téléphonie ATS Canada, ATS Canada public service.

SOPHIE. Oui, oui, bonjour. Je sais pas si c'est – est-ce que c'est Christophe?

CHRISTOPHE. Oui.

SOPHIE. Christophe, bon, on s'est parlé déjà. On s'est parlé hier, pis une couple de fois en fait.

CHRISTOPHE. Oui oui, je me rappelle de vous.

SOPHIE. Bon, c'est ça, Sophie Gagnon.

CHRISTOPHE. Oui.

SOPHIE. Oké. Euh, ben est-ce qu'on peut réessayer, s'il vous plaît?

CHRISTOPHE. Oui, on peut réessayer, redites-moi le numéro?

SOPHIE. Oké, alors c'est un numéro ici, y a gardé son appareil, mais y a changé de numéro, donc c'est le 011 49 /

CHRISTOPHE. Un petit peu plus lentement, s'il vous plaît, mademoiselle.

SOPHIE. Vous, vous êtes au Canada?

CHRISTOPHE. Oui, faites juste me dire le numéro lentement.

SOPHIE. 49.

CHRISTOPHE. 49.

SOPHIE. 1-77.

CHRISTOPHE. 1-77.

SOPHIE. 64-15-86.

CHRISTOPHE. 64-15-86. Je vous reviens dans une seconde.

SOPHIE. Merci. Christophe.

Silence.

SOPHIE. Enwoye, ostie.

CHRISTOPHE. Oui, mademoiselle Gagnon? Ça répond, je vous mets en communication.

SOPHIE. Oh, oh mon Dieu.

CHRISTOPHE. « Qu'est-ce que tu veux? »

SOPHIE. Euh, oké, euh – câlisse. Pouvez-vous lui dire, euh : « Salut. T'es où? »

Silence.

CHRISTOPHE. « Je te le dis pas. »

SOPHIE. « Va chier. »

CHRISTOPHE. « Oké. »

SOPHIE. « Sérieusement, je suis super inquiète. Reviens à l'appart, je serai là à dix-sept heures. » *(Silence.)* « Tabarnak. »

CHRISTOPHE. « Non, je respire. »

SOPHIE. « Es-tu encore en Europe ? »

CHRISTOPHE. « Oui et non. »

SOPHIE. Heille là, come on estie.

CHRISTOPHE. Est-ce que vous voulez que je transcrive ça ?

SOPHIE. Non !

CHRISTOPHE. « Je vais de mieux en mieux. » *(Long silence.)* Est-ce que vous voulez raccrocher, mademoiselle /

SOPHIE. Non, je veux pas raccrocher ! Christophe ! Je réfléchis, Christophe.

CHRISTOPHE. D'accord.

SOPHIE. Est-ce qu'y dit quelque chose ?

CHRISTOPHE. « Excuse-moi pour ça, je t'aime encore. Je t'aime beaucoup. »

SOPHIE. Beaucoup ?

CHRISTOPHE. C'est une question ?

SOPHIE. Oui, c'est une question.

CHRISTOPHE. D'accord.

SOPHIE. Beaucoup, beaucoup, je veux dire, c'est de la marde, ça, « beaucoup », Christophe, on est d'accord.

CHRISTOPHE. Attendez une seconde, là : « Oui, beaucoup. Excuse-moi pour tout. »

SOPHIE. « Oui, beaucoup, excuse-moi pour tout. » Christophe, sans joke, toi ton chum te dit je t'aime beaucoup, là, tu fais quoi ? T'es en crisse ?

CHRISTOPHE. Euh, je peux pas répondre à ça, moi, je suis comme une machine.

SOPHIE. Non mais Christophe, même si t'es une machine, come on, je veux dire, t'en as une blonde, toi, Christophe, ou ben t'es gai, là, je m'en fous, t'as le droit d'avoir un chum si t'aimes mieux, ça me dérange pas – t'as quelqu'un dans ta vie, Christophe ?

CHRISTOPHE. Est-ce que vous voulez que je transcrive ça, mademoiselle ?

SOPHIE. Non ! Je te parle à toi, Christophe ! Crisse ! Christophe ! Je t'aime beaucoup ! Ça fait une semaine et demie qu'y est parti sans rien dire, pis moi je suis là comme une dinde à pas savoir si y faut que je lance un avis de recherche, j'essaye de travailler le jour pour pas gâcher la fin de mon bac, pis le soir je m'en fais pis je m'en veux, pis là je le retrouve, je veux dire y daigne prendre mon appel, pis y me dit je t'aime beaucoup, tabarnak ! Christophe ! Oké. Excuse-moi Christophe, écris-lui /

CHRISTOPHE. J'ai une communication, deux points : « Sophie, j'écoute de la musique. »

Silence.

CHRISTOPHE. Ça vient de raccrocher, mademoiselle Gagnon, je suis désolé.

LES MOTS INNUS

2009. Café Blumen für Pina.

MARIE. Je restais jamais longtemps.
Je restais un peu
je restais trois
quatre
cinq mois –
des fois je restais un an.
Quand je restais plus longtemps j'avais l'impression
de devenir une plante en pot.

Je suis pus retournée à la réserve.
Quand ma mère est morte
je suis pus retournée.
Je parlais innu avant.
Quand j'étais petite
je parlais avec ma grand-mère
qui m'appellait Mani.
Maintenant je saurais pus dire un mot.
Je me rappelle juste de ça :
grand-maman
nukum
pis aussi de quelques mots pour la neige.
Mamakakunatshipalu : y neige à gros flocons.
Piuakunatshipalu : y tombe une petite neige rare.
Likun : y tombe une petite neige sèche.

C'est tout.

Je sais pus le reste
c'est parti

ça a fondu.
Je pense à ma grand-mère quand y neige
ma grand-mère
petite neige rare.
Je pense à ma mère aussi
morte de chagrin à trente-six ans.
La tuberculose
petite neige sèche
une maladie de peine d'amour
une maladie de gars jamais revenu
une maladie de Blanc.
Je vas bientôt être plus vieille que ma mère
à ça je pense souvent
quand y neige à gros flocons.

Mamakakunatshipalu.
On dirait des petites chansons.
Piuakunatshipalu.

Je trouve ça triste
mais j'ai tellement voulu m'en aller de là
tellement voulu partir
tu peux même pas imaginer.

Pis maintenant que je suis partie
j'ai honte
j'ai honte d'avoir réussi ça
partir.

Je peux attraper une truite avec mes mains
ça je m'en rappelle comment
de ça je me souviens.

J'ai toujours l'impression que j'attends un hasard
magnifique
que j'attraperais
comme un poisson merveilleux

qui viendrait se nicher tout seul
entre mes paumes.

J'ai toujours l'impression que personne me connaît.

Personne le sait jamais
ce que je viens de dire là
je le dis à personne.

Je parle pus ma langue.

Pis j'écris
j'écris dans ma tête
mais rien reste.

Rien ne reste.

L'AUTRE CÔTÉ

1989. Dans un parc ou n'importe où, dehors. Grand vent.
Ils s'embrassent souvent.

ROSE. On recommence.

MORITZ. On aurait une maison.

ROSE. Oui. Quelle couleur?

MORITZ. Euhmm, en brique. Avec des fenêtres et des rideaux et un petit jardin.

ROSE. Oui, un potager. Avec des tomates, des poivrons, des courges, des haricots, des salades. On aurait plein de salades. On mangerait juste de la salade l'été. Quelle couleur les rideaux?

MORITZ. Oui, un potager, mais devant on aurait des fleurs. Roses et rouges.

ROSE. On aurait des rideaux blancs et on ferait pousser des fleurs roses et des fleurs rouges. Des coquelicots! Ahhhh, est-ce qu'on aurait des coquelicots?

MORITZ. Oui.

ROSE. Avec des églantines. Et des roses trémières.

MORITZ. Tout ce que tu veux.

ROSE. Il paraît que ça envahit, les roses trémières.

MORITZ. Oui, mais ça ne nous dérangerait pas d'être envahis par des fleurs.

ROSE. Je ferais de la confiture d'églantine. Et de la confiture de rose. Avec des tonnes de sucre.

MORITZ. J'irais travailler à pied parce que notre belle maison serait à côté de l'usine.

ROSE. Mais en fait, tu ne travaillerais pas, tu ne travaillerais plus, tu n'aurais pas besoin. Parce qu'on serait devenus riches avec /

MORITZ. Avec tes célèbres confitures.

ROSE. Oui. On ferait juste faire pousser de la salade et manger de la confiture de fleurs.

MORITZ. Tu aurais une émission de télé où tu expliquerais à tout le monde comment devenir heureux en faisant des confitures et en cousant des rideaux blancs.

ROSE. Et toi, tu expliquerais aux gens comment aller chercher le pain à la boulangerie pour être heureux, comment marcher pieds nus dans les parcs même en automne et comment construire des cabanes d'oiseaux pour être heureux.

MORITZ. Oui, je dirais il faut, pour être heureux, tomber amoureux de la fille de la boulangère. Et la faire rire et lui trouver des choses sucrées à manger et l'emmener à l'opéra.

ROSE. Et l'emmener loin d'ici.

MORITZ. Oui.

L'air se refroidit.

MORITZ. Encore. On recommence.

ROSE. Hmmm.

MORITZ. On aurait un bateau.

ROSE. Oui. Quelle couleur ?

MORITZ. Vert émeraude.

ROSE. On aurait un bateau-bibliothèque. Dedans il y aurait juste des matelas, des coussins et des livres. On serait toujours couchés.

MORITZ. On aurait une péniche à Paris sur les quais de la Seine.

ROSE. Il y aurait quatorze chats qui traîneraient autour sur les quais et on les nourrirait. On mangerait du *beurre*[1] à tous les repas. On boirait du *champagne* au petit-déjeuner avec du jus d'orange, les riches font ça, les riches et les intellectuels. On écrirait. On écrirait des articles en français dans les journaux. On signerait nos deux noms. On écrirait des essais sur le grand amour comme berceau de toutes les désobéissances. *Le grand amour.* On lirait tout le temps, on lirait tout ce qu'on veut, on boirait du champagne, tu me dirais des poèmes et tu apprendrais le piano. Il y aurait une vieille Française qui viendrait te donner des leçons sur le pont, et le piano serait toujours désaccordé à cause de l'humidité, mais tu jouerais divinement bien et on n'entendrait jamais une seule fausse note. Tu me chanterais tout le temps du Barbara.

MORITZ. Oui. Et toi, tu serais chef. Tu ferais des grands plats et je goûterais et j'en inventerais les noms. Et on boirait des *cafés*.

ROSE. Oui. Oui, et la cuisine serait dehors. Ce serait une cuisine d'été. Et on donnerait les restes aux chats, on aurait des chats bien gras.

---

1. Les mots en italique dans les répliques qui suivent sont dits en français.

MORITZ. Et à l'automne on partirait vers le sud et l'Italie. On mangerait juste des pizzas pendant des mois.

ROSE. On partirait quand on veut. On mangerait ce qu'on veut.

MORITZ. Et on ferait un enfant sur le bord de la mer.

ROSE. Non. Non, non. Pas ça. Non.

MORITZ. Un jour. Dans longtemps. On serait libres. On ferait un enfant. Tu ne crois pas qu'un jour, tu ne veux pas qu'on /

ROSE. Non. Je veux rentrer.

CE QUE TU VEUX DIRE

1999. Chez Christophe et Charlotte, à table. Fin du souper.

MARIE. Je connais pas ça pantoute l'opéra.

CHRISTOPHE. Si tu veux, on pourrait aller voir Charlotte chanter, ensemble?

CHARLOTTE. Ah? Eh bien, eh bien.

CHRISTOPHE. Quoi? Ça fait longtemps que je t'ai pas vue sur scène.

CHARLOTTE. Mais c'est bien ce que je me disais. Tu viendras avec Marie, bien sûr.

Elle se lève de table. Silence. Elle revient avec la salade.

CHARLOTTE. Donc tu ne sais pas combien de temps tu es ici.

MARIE. Ben non. Je fais ça souvent. Je vas quelque part, je traîne un peu, j'attends de voir comment je me sens. Des fois je reste, des fois non. Mais ici j'aime ça. Je pense.

CHARLOTTE. Les Québécois voyagent beaucoup.

MARIE. Oui. C'est leur petit côté… mêlé, peut-être.

CHARLOTTE. Peut-être. Ou leur manque de persévérance.

CHRISTOPHE. Euh, qu'est-ce que tu veux dire?

CHARLOTTE. Tu sais très bien ce que je veux dire.

CHRISTOPHE. Non. Dis-nous ça.

CHARLOTTE. Il a raison, peut-être je généralise. Peut-être Christophe manque de persévérance. Ça fait sept ans on habite Berlin. On est mariés, on voit ma sœur tous les fins de semaine ou presque. Mes amis sont ses amis. Même tu as ouvert ta boutique, mon amour. Tu répares les violons de toute la section de cordes dans l'orchestre symphonique grâce à moi. Tu es vraiment bien avec les violons, tu es le meilleur, tout le monde le dit, tu es le luthier extraordinaire. Mais tu ne parles pas encore allemand. Pas un mot. Tu n'as pas appris.

MARIE. Tu parles pas allemand pantoute? Mais comment tu fais? Me semble que personne parle anglais ici!

CHRISTOPHE. Elle exagère. De toute façon, je vois pas le rapport entre voyager beaucoup pis manquer de persévérance.

CHARLOTTE. Pourtant. Moi je vois bien.

MARIE. Han moi aussi, je comprends tellement.

CHRISTOPHE. Bon. Qui veut de la salade?

CHARLOTTE. Mais toi, tu parles un peu, si?

MARIE. Allemand?

CHARLOTTE. *Oui? Tu as appris, non*[2] ?

MARIE. Moi je vas en prendre, s'il vous plaît. Ben euh, oui j'ai appris, j'ai fait deux ans d'université en langues à Montréal. Mais j'ai lâché. Je trouvais ça vraiment dur.

CHARLOTTE. *Ne sois pas timide, parle-moi un peu. Moi, je parle français tout le temps, sois gentille. Tu comprends ce que je dis ?*

MARIE. *Oui, je comprends, mais j'ai très peu pratiqué ! J'ai appris dans les livres.*

CHARLOTTE. *Ton accent est adorable. Tu es une fille bien, ça paraît. Je comprends qu'il t'ait amenée ici.*

MARIE. Tu comprends vraiment rien de ce qu'on dit ?

CHARLOTTE. *Non, il ne comprend pas. C'est difficile à croire, mais c'est vrai. Je veux te dire quelque chose.*

MARIE. *Un secret ?*

CHRISTOPHE. Bon, là les filles euh, ça suffit ?

CHARLOTTE. *Je te le laisse. Tu peux aller avec lui. Je te le laisse.*

MARIE. *Pardon ? Je pense que là je ne comprends plus.*

CHARLOTTE. *Tu comprends. Je te laisse Christophe. C'est trop dur entre nous, tu vas lui faire du bien, j'espère.*

MARIE. *Tu ne l'aimes plus ?*

CHARLOTTE. *Oh, je l'aime encore. Mais il n'est plus là.*

CHRISTOPHE. De quoi vous parlez ? Vous parlez de moi ?

MARIE. *Je te jure que je n'allais pas faire ça.*

CHARLOTTE. *Mais fais-le. Je t'en prie, fais-le.* On parle de la vinaigrette. Je disais c'est ta recette. C'est toujours Christophe qui cuisine, il est meilleur que moi.

MARIE. C'est vrai, c'est bon, c'est hmmm, c'est délicieux. Excellente vinaigrette. Vraiment bonne. J'en ai trop pris moi par exemple. Ouhhh. Bon. On sort-tu

dehors, quelque chose ? J'ai comme chaud, on dirait !
J'ai comme presque mal au cœur !

CHARLOTTE. Vodka sur le toit ?

CHRISTOPHE. Yes ! Wow, ça te donne des grandes
idées, la visite, mon amour ! Ça fait longtemps que je
t'ai pas vue comme ça ! J'aime ça.

CHARLOTTE. *Ça fait longtemps que tu ne m'as pas regar-
dée, mon amour.*

MARIE. *Je veux pas faire ça. C'est trop bizarre. Et c'est trop
triste. Je vais rentrer, je pense.* Moi je vas rentrer, je pense.

CHRISTOPHE. Han déjà ? Ben voyons ça te tente pas ?
Vodka sur le toit ?

MARIE. Non, merci !

CHRISTOPHE. T'es sûre ?

MARIE. Sûre sûre, sans blague, y faut vraiment que je
rentre. Merci han, le souper était vraiment délicieux.
Je vas rentrer. Je me sens pas super bien.

CHRISTOPHE. Bon, ben je te raccompagne d'abord ?

MARIE. Nonon, allez boire de la vodka sur votre toit,
moi j'ai vraiment besoin de marcher.

Fuguer

2009. Café Blumen für Pina.

MARIE. On dit que la fugue
c'était la langue maternelle de Bach.
On dit « maître » en parlant de Bach pis de ses fugues.
Moi je connais pas la musique
je comprends pas la musique
je pense pas comprendre en tout cas.
C'est un vrai mystère
je trouve.
Mais fuguer
je comprends
pis Bach
je comprends.
On dit fugue parce que quand on écoute
on a l'impression que le thème fuit d'une ligne à
l'autre
on a l'impression que le thème coule
s'écoule
qu'on le perd
qu'y retourne à la mer
on a l'impression de tourner en rond.
Fuguer
c'est répéter
c'est se répéter.
Fuir
c'est recommencer
c'est être condamné ou je sais pas
c'est être obligé de recommencer.

Je sais pas si Bach était fatigué à la fin
mais moi
je commence à être vraiment
vraiment fatiguée de tout le temps recommencer.
De tout le temps toute recommencer.

Jamais assez

1989. Encore dehors. Dans un parc ou n'importe où. Plein d'amour. Plein d'incompréhension.

ROSE. Mais on n'en aura jamais assez, comprends-tu, de toute façon, on n'en aura jamais, jamais, jamais assez. Ça ne vaut rien, ça, de l'autre côté, c'est comme si tu ramassais des brins de paille ou des sous en chocolat, c'est un trésor d'enfant /

MORITZ. Ou d'imbécile.

ROSE. Non, pas ça, ce n'est pas ce que je dis – je dis juste que… Ce n'est pas imbécile, c'est magnifique, c'est beau ce que tu fais, je te trouve parfait, je te trouve beau, je te trouve héroïque d'essayer de nous faire un coussin, un nid pour quand on va atterrir, mais comprends-tu : c'est infini, ça va être infini, moi je ne veux pas, je ne peux pas attendre qu'on en ait assez, je vais mourir. On n'en aura jamais assez.

MORITZ. Laisse-moi seulement essayer.

ROSE. Non. On n'a pas le temps. On n'a pas le temps !

MORITZ. Tu ne la retrouveras pas, Rose.

ROSE. Tu vas faire quoi ? Tu vas économiser pendant trente ans pour qu'on puisse acheter quoi ? Une maison ? Où ça ? Ici ? Une belle maison pour nos cinquante ans ?

MORITZ. Tu es méchante. Et injuste. Je ne veux pas qu'on se retrouve à la rue. Je veux des murs, un toit, autour de toi. Je veux quelque chose de solide pour /

ROSE. Mais si moi je ne veux pas ? Han ? Si moi j'étouffe ici, si je manque d'air dans ton abri nucléaire, qu'est-ce qu'on va faire ?

MORITZ. Je t'étouffe ? Depuis quand ?

ROSE. Ce n'est pas toi, jamais toi, c'est ici qui m'étouffe, c'est être ici pendant que peut-être /

MORITZ. Tu ne la retrouveras pas. Je t'aime, je t'aime, je t'aime. Mais tu ne la retrouveras pas.

ROSE. Tu ne peux pas dire ça.

MORITZ. On va en faire un autre.

ROSE. Comment tu peux dire ça, comment tu peux ! Dire ça comme ça ! Comment tu peux régler ça avec cette phrase-là dégoûtante ! Tu ne me connais pas : si tu dis ça, tu ne me connais pas, tu ne m'as jamais connue.

MORITZ. Peut-être. C'est vrai. Peut-être que je ne te connais pas.

ROSE. Si on reste ici, tu me perds. Moi aussi je t'aime. Je t'aime comme je ne pensais jamais pouvoir aimer quelqu'un après ça. Je t'aime éperdument, je t'aime. Mais si on reste, si tu restes, moi je pars. Je ne pourrai pas. Rester avec toi. Ici.

MORITZ. Tu ne m'aimes pas, alors.

ROSE. Oui. Je t'aime. Mais je vais mourir. Si tu veux que je reste, tu veux me voir morte. Si tu veux que je reste, c'est toi qui ne m'aimes plus.

MORITZ. Quand j'ai vendu tous mes disques /

ROSE. Oh, mon amour /

MORITZ. Quand j'ai vendu mes deux mille disques et ceux de mon père /

ROSE. Oh non, mon amour, je suis tellement /

MORITZ. Hier matin /

ROSE. Je suis tellement désolée.

MORITZ. Quand j'ai vendu, pour une poignée de paille, comme tu dis /

ROSE. Mon amour, excuse-moi.

MORITZ. Quand j'ai laissé partir toute ma musique, mon amour /

ROSE. Je sais.

MORITZ. Sois sûre, sois certaine /

ROSE. Je sais, je m'excuse /

MORITZ. Sois sûre que je l'ai fait par amour
et pour aucune autre raison.
Mais quand j'ai vu la poussière dans mes mains
en échange de ce que j'avais de plus précieux
quand j'ai vu la cendre dans mes mains
en échange de ce qui me permettait
moi
de tenir et de te raconter des belles histoires de maisons de briques avec des rideaux blancs
et de bateaux sur les bords de la Seine
j'ai pensé
pardonne-moi
mais j'ai pensé que tu méritais plus et mieux qu'un
coin de trottoir pour t'accueillir
qu'un camp de réfugiés politiques où on te souhaite-
rait la bienvenue avec des patates et
une paire de souliers usagés
là où je t'avais promis des châteaux
des robes en dentelle
et du beurre à tous les repas.

Mais si tu veux partir
on part.

Si tu veux
on part ce soir
on part demain.
Je ne veux pas que tu meures ici
étouffée ici
étranglée ici
et si tu préfères qu'on se lance sans rien
c'est ce qu'on va faire.

ROSE. Je suis tellement désolée. Mon amour, je suis
tellement désolée.

MORITZ. Moi aussi. Je suis désolé.

ROSE. Ne sois pas désolé. Il paraît qu'ils font passer
des gens en Hongrie. À Sopron.

Ratée

2009.

SOPHIE. Mon beau Marco.
Je t'écris une lettre pis tu le sais
ça
c'est le genre de chose que je sais pas comment faire.
Je t'écris une lettre d'amour je pense
c'est la première fois de ma vie que je fais ça
la dernière aussi j'espère
parce que j'haïs ça
j'haïs t'écrire
j'haïs t'écrire une lettre d'amour.
Si je t'écris c'est parce que t'es pas là
pis j'haïs que tu sois pas là
j'haïs que t'aies disparu
j'haïs ton maudit silence de marde
et j'haïs que tu sois parti
je t'haïs même on dirait
je t'haïs d'être parti.
Mon amour
en ce moment je t'haïs tellement.
Je m'haïs aussi
si ça peut te faire plaisir.
Parce que t'as essayé de me parler avant de t'enfuir
pis j'ai pas écouté
j'ai pas compris
j'ai rien compris
parce que ça m'a énervée
ça m'a juste fait chier

ton air de chien battu
pis tes grands cils pis ton petit cœur d'animal traqué.
Je le sais
c'est pas juste pis c'est même méchant
mais tu m'as tellement énervée !
Aussi parce que moi aussi j'avais peur
j'avais la chienne de ma vie pis j'avais mal au cœur
pis ma tête tournait
quand j'ai su que c'était vrai
que j'étais pas folle
que c'était ça qui se passait
que là
pour la première fois de ma vie
quelque chose se passait pour vrai.
Pis j'ai rien pu te dire
parce que toi toi toi
t'avais peur tout seul ici.

Mais t'étais pas tout seul

on était pas tout seuls avant que tu t'en ailles te cacher
je sais pas où.

Quand on s'est rencontrés dans ton magasin de BD
sur Saint-Joseph
quand on s'est rencontrés
on était des enfants
on était des bébés même.
Quand t'as commencé à me faire des compliments
en me parlant dans l'oreille
je me suis dit :
« C'est lui.
C'est lui
je l'ai trouvé.
Je suis chanceuse !
Oh
je suis tellement chanceuse !

Y a des gens qui cherchent toute leur vie
moi j'ai trouvé du premier coup!»
Tu me parlais dans l'oreille.
Le soir
plus tard au parc
tu me parlais encore dans l'oreille.
J'ai voulu ça :
toi qui me parles dans l'oreille toute la vie
moi qui te parle dans l'oreille toute la vie.

T'en souviens-tu de nous comme ça?
On faisait juste ça :
parler
s'embrasser
parler
s'embrasser
lire
s'embrasser
s'embrasser
s'embrasser.

Ça fait même pas longtemps!
Qu'est-ce qui s'est passé donc?

Dans ce temps-là

on avait pas peur
ni toi
ni moi.

Mais là
t'es parti je sais pas où
tu te reposes de je sais pas quoi
de moi peut-être
t'es parti
tu dis que tu écoutes de la musique pis tu me fais chier
parce que j'ai besoin de toi
pis t'es pas là.

On a fait un bébé Marco.
Y est dans mon ventre.
J'ai un bébé dans mon ventre
un bébé de toi
pis t'es pas là
pis je sais pas quoi faire.

Fait que reviens
s'il te plaît

Je sais même pas où envoyer ma lettre
ma maudite lettre de marde
ma lettre d'amour ratée
parce que je sais pus rien :
ni t'écrire
ni te parler.

Quand t'es pas là
je sais pus rien.

Je sais même pus si on s'aime on dirait.

On va avoir un bébé.
J'ai besoin de toi
je t'haïs de pas être là.
J'aurais envie qu'on recommence à s'embrasser tout
le temps comme avant.
J'aurais besoin que t'aies pas peur
oké ?

S'il te plaît
entends
je sais pas comment
mais entends
pis reviens
oké ?

ALCOOL

1999. Sur le toit. Ils s'embrassent. Beaucoup.

CHRISTOPHE. Je veux te faire un enfant.

Tout s'arrête.
Silence.

CHARLOTTE. Parfois j'ai l'impression tu m'en veux. Parfois j'ai l'impression tu voudrais ça n'a jamais existé. Moi. Nous. Tout ça.

CHRISTOPHE. Moi, des fois, j'ai l'impression que tu t'en fous.

CHARLOTTE. Non, je ne me fous pas. Mais tu demandes l'impossible, tu sais ce ne sera pas possible, Christophe, dans mon ventre ce n'est pas possible.

CHRISTOPHE. Tu parles comme si on avait tout essayé.

CHARLOTTE. Mais on a tout essayé.

CHRISTOPHE. C'est pas vrai.

CHARLOTTE. Tu ne veux rien entendre d'adopter.

CHRISTOPHE. Pas pareil.

CHARLOTTE. Oui, pareil. Sauf que c'est à notre portée.

CHRISTOPHE. Je veux un enfant de nous deux.

CHARLOTTE. Moi je ne veux pas on devienne comme des fous. Et maintenant on est en train de devenir comme les fous. Il y a autre chose dans la vie /

CHRISTOPHE. Que la vie ?

CHARLOTTE. Tu es injuste.

CHRISTOPHE. Tu t'en fous.

CHARLOTTE. Maintenant, écoute bien, parce que c'est très dur pour moi dire ce que je vais dire. Moi aussi c'est dur. J'ai une peine que tu ne soupçonnes pas de ne pas pouvoir te donner cet enfant. Mais c'est ce qui arrive. Ça nous arrive. Et par-dessus de cette peine, j'ai le chagrin de ne plus te reconnaître. Je ne sais plus qui tu es. Alors écoute. Soit à partir de maintenant tu touches à mon corps pour l'aimer sans rien attendre de plus, soit tu ne me touches plus.

Christophe hésite. Il embrasse Charlotte, très doucement. Avec une tendresse infinie.
Puis il s'en va.

CHARLOTTE, *en allemand.* Tu ne me touches plus alors.

BAGAGES

1989. Chambre.

ROSE. Sopron nous appelle, mon amour. Sopron et sa frontière, ouverte trois heures en août, le temps d'un pique-nique. Depuis, les gens passent, peux-tu croire ? Un peu. Pas toujours, mais un peu. Pour nous deux, il y aura une brèche, une faille, un miracle. Sopron, mon amour. Et la vie devant. L'air libre.

MORITZ. Et Rudolf nous attend à l'Ouest. Il nous attendra en Autriche, il nous conduira jusqu'au pays, il nous prendra chez lui le temps qu'il faut, c'est ce qu'il a dit.

ROSE. Rudolf est un héros.

MORITZ. Rudolf est un ami de mon père, je le connais depuis que je suis enfant, et je peux te dire qu'il n'a pas toujours eu ce courage. J'espère qu'il tiendra parole. On recommence.

ROSE. Oui, on recommence.

MORITZ. Où est-ce qu'on va ?

ROSE. À la noce de ta cousine Anna. À Budapest.

MORITZ. Où est-ce qu'on va dormir ?

ROSE. Chez ton oncle, pas le père de la mariée, l'autre frère de ton père. Franz. Chez Franz Witt et son épouse Daniela, 150 Adam Clark utca, à Budapest.

MORITZ. Est-ce qu'on peut les appeler?

ROSE. Ils n'ont pas le téléphone. Mais on peut appeler les parents de la mariée. Ils nous attendent. Le numéro de téléphone est ici.

MORITZ. Combien de temps on va rester?

ROSE. Trois jours. On arrive la veille de la noce et on revient le lendemain.

MORITZ. Pourquoi on n'a pas demandé d'autorisation plus tôt?

ROSE. C'est une noce surprise. Anna devait se marier l'été prochain, mais finalement, non, finalement ils ont été plus pressés, il faut qu'ils fassent ça avant l'hiver.

MORITZ. Qu'est-ce qu'on apporte? Qu'est-ce qu'on a dans la voiture?

ROSE. Nos beaux habits. Et un coffre à outils et un rosier sauvage comme cadeaux de mariage.

MORITZ. Où est-ce que les mariés vont planter un rosier sauvage, s'ils habitent à Budapest?

ROSE. Dans leur cour, ils ont une cour, une cour intérieure avec plein de plantes en pot.

MORITZ. Où sont nos enfants?

ROSE. Pas d'enfant. On n'a pas d'enfant. On n'a pas ce bonheur-là.

MORITZ. C'est bien. C'est bien, c'est parfait.

ROSE. Sopron, mon amour. On y est. On y est presque. Les Hongrois vont nous laisser sortir. Les Hongrois sont des héros.

MORITZ. Chhhhhh, mais nous, on va aux noces à Budapest !

ROSE. Oui ! Oui, oui, oui, on va aux noces. J'espère que ça va être une belle noce. J'espère que je vais attraper le bouquet.

MORITZ. Oui. Espérons. Espérons, ma belle.

ACUPUNCTURE

2009. Café Blumen für Pina.

MARIE. J'ai connu l'acupuncture par hasard.
J'étais coursière à vélo
j'étais en France
c'était un dimanche pis je m'étais blessée.
Tout était fermé.

Les dimanches en France :
insupportables.

Tout était fermé

sauf l'acupuncteur de l'autre côté de ma rue
en bas.
Je suis allée.
J'avais tellement mal.
J'avais le muscle du mollet retourné sur lui-même.

L'acupuncteur m'a piquée.
L'effet
spectaculaire
m'a fait halluciner :
pus mal
pus de douleur.
Douze aiguilles bien placées
pis tout se calmait.

Après j'ai continué un peu
pour le mollet
pour les allergies

pis les cauchemars
pis les changements de saison.

En acupuncture

les aiguilles montrent le chemin à ce qui circule dans
le corps
le sang
l'énergie
la nourriture
les émotions
les fluides
l'électricité.

J'aime l'idée que tout est lié
organes et sentiments.
Le foie
c'est la colère
les poumons
c'est le chagrin
la rate
c'est la mélancolie.

J'aime que quelqu'un

une fois de temps en temps
essaie de soigner ma mélancolie.

Des fois
j'ai l'impression que ce que je fais
c'est de l'acupuncture à l'envers.
J'essaie de trouver où y faut que je me plante sur la
Terre pour guérir.
J'essaie de trouver le point exact
latitude
longitude
où j'arrête d'avoir mal
où j'ai envie de rester

où je serais capable
de vivre
de penser
de parler
d'aimer
toute ça
tsé.

Service à la clientèle

2009. Au téléphone. Sophie est toujours à Berlin, Christophe est toujours à Montréal.

CHRISTOPHE. Oui, bonjour, service de téléphonie ATS Canada, ATS Canada public service.

SOPHIE. Bonjour. Est-ce que je pourrais parler à Christophe?

CHRISTOPHE. Bonjour, mademoiselle Gagnon, Christophe à l'appareil. Comment vous allez?

SOPHIE. Ben pas vraiment bien, en fait. En fait, ça va pas, ça va pas du tout.

CHRISTOPHE. Vous avez toujours pas de nouvelles?

SOPHIE. Ben non, toujours pas, aucune, aucune nouvelle depuis la fois, là. La fois de la musique pis toute.

CHRISTOPHE. Je suis désolé.

SOPHIE. Oké merci. Est-ce que tu penses qu'on peut réessayer quand même, s'il vous plaît?

CHRISTOPHE. Absolument, on peut réessayer, je suis là pour ça. 49-1-77-64…?

SOPHIE. 64-15-86.

CHRISTOPHE. Je vous reviens tout de suite.

SOPHIE. Merci, Christophe.

Silence.

CHRISTOPHE. Je suis désolé, mademoiselle Gagnon, y a pas de /

SOPHIE. Ah, câline.

Elle ne peut pas se retenir et elle commence à pleurer. Beaucoup.

CHRISTOPHE. Ah, mademoiselle Gagnon, faut pas s'en faire comme ça, ça va aller, ça va aller…

SOPHIE. S'cuse-moi, je suis comme pus capable. Je suis désolée, je suis désolée /

CHRISTOPHE. Je comprends, je comprends complètement, mais ça va aller.

SOPHIE. Je voulais juste savoir si y était correct.

CHRISTOPHE. C'est sûr qu'y est correct.

SOPHIE. Non, mais tu comprends pas, Christophe, y est sourd, y a vraiment besoin de moi, en plus, y est dans un autre pays, y est pas chez lui, tu comprends-tu, y parle pas la langue /

CHRISTOPHE. Mademoiselle Gagnon, je comprends tout ça, mais si y avait besoin d'aide, y vous ferait signe.

SOPHIE. Tu dis ça sans le connaître, tu dis ça, mais tu le connais pas, y est tellement fru d'avoir besoin d'aide, y veut jamais rien demander.

CHRISTOPHE. Pourquoi y est parti?

SOPHIE. Je le sais pas! Je le sais pas pis ça me fait capoter!

CHRISTOPHE. Peut-être qu'y voulait juste être tout seul.

SOPHIE. Peut-être qu'y voulait que je meure, aussi. Toute seule à Berlin. Crisse.

CHRISTOPHE. Vous êtes à Berlin ?

SOPHIE. Oui. Crisse de ville de marde.

CHRISTOPHE. Je connais bien Berlin.

SOPHIE. Ben tu dois le savoir, d'abord, crisse de ville de marde.

CHRISTOPHE. J'aurais pas dit ça comme ça, mais j'avoue que j'ai vécu là-bas des moments… de marde, oui, on peut dire ça comme ça, je pense. Sophie /

SOPHIE. Quoi ?

CHRISTOPHE. Quand y va vouloir vous faire signe, y va vous faire signe.

SOPHIE. Je le sais.

CHRISTOPHE. Bon. Là, vous allez faire ce que je dis.

SOPHIE. Oké, Christophe.

CHRISTOPHE. Là, vous allez prendre un bain.

SOPHIE. Oui.

Elle recommence à pleurer de plus belle.

CHRISTOPHE. Sophie, écoutez-moi. Y est cinq heures du soir pour vous ? C'est bon, c'est parfait. Vous allez prendre un bain. Vous allez vous habiller, pis vous allez aller sur Oranienstrasse, au numéro 98. Ça s'appelle Blumen für Pina, c'est un café équitable.

SOPHIE. Oké, Blumen für Pina.

CHRISTOPHE. Vous allez demander Marie. Vous allez lui dire que c'est moi qui vous envoie, Christophe Saint-Laurent. Vous allez voir, elle va s'occuper de vous. Vous allez manger comme à la maison, vous allez boire du vin, vous allez pouvoir parler, ça va vous faire du bien.

SOPHIE. Oké, je vas faire toute ça, mais je bois pas de vin, je peux pas.

CHRISTOPHE. C'est pas grave. Vous allez boire du thé, ça va faire pareil. Marie sait ce que c'est être loin de chez soi. Vous allez voir. Vous rappellerez pour me donner des nouvelles.

SOPHIE. Oui. Oké. J'aime pas vraiment le thé.

CHRISTOPHE. Bon. Sophie. Y va falloir qu'on raccroche.

SOPHIE. Je sais.

CHRISTOPHE. Ça va aller, vous allez voir.

SOPHIE. Christophe?

CHRISTOPHE. Oui?

SOPHIE. Merci beaucoup.

CHRISTOPHE. C'est rien. Vraiment. Nous vous remercions d'avoir fait appel aux services de téléphonie ATS Canada, ATS Canada public service thanks you for your call.

Voir Budapest et mourir

1989. Un terrain de stationnement vide à Budapest. Une cabine téléphonique. Moritz parle au téléphone sans qu'on entende. Il raccroche et revient dans la voiture.

Silence.

ROSE. Qu'est-ce qui se passe ?

Silence.

ROSE. Qu'est-ce qui se passe ?

MORITZ. Ils ne veulent plus. Rudolf ne veut plus. Il dit qu'ils ne peuvent pas, que la situation a changé, ils ne veulent plus. Ils ont de la famille plus proche. Qui arrive. Ils n'ont pas assez de place. Ils ne nous attendent pas.

ROSE. Ce n'est pas grave.

MORITZ. Ma chérie /

ROSE. Le pire est fait, le pire est passé, on va à Sopron, on traverse.

MORITZ. Il n'y a rien de l'autre côté.

ROSE. Ce n'est pas vrai !

MORITZ. On n'a rien, on arrive avec rien, on ne pourra pas, si personne ne nous attend, on rentre, on retourne sur nos pas /

ROSE. Non. Impossible. Ce n'est pas possible.

MORITZ. Ma belle, ma douce /

ROSE. Arrête.

MORITZ. Mon amour, on va rentrer, c'est ce qu'on peut faire de mieux maintenant.

ROSE. Jamais. Je me jette dans le fleuve plutôt que rentrer.

MORITZ. Il n'est pas trop tard. Si on revient maintenant, il n'est pas trop tard, personne ne saura, c'est ce qu'on avait dit, qu'on rentrait aujourd'hui, si on rentre, tout sera comme si on n'avait jamais essayé de se sauver.

ROSE. Le plus dur est fait! Comment tu peux vouloir retourner?

MORITZ. Ce sera trop difficile, on réessaiera plus tard, une autre fois. Je pensais que je pourrais, mais je ne peux pas, et sans personne pour nous aider de l'autre côté /

ROSE. On trouvera de l'autre côté des gens pour nous aider! On y est presque! On se rend à Sopron, on traverse, ils vont nous laisser! Entends-tu, il y a un chemin, il y a un endroit /

MORITZ. Ce n'est pas sûr.

ROSE. Rien jamais n'est sûr, mais il faut avancer, et de l'autre côté on trouvera, et si personne ne veut nous aider /

MORITZ. Je ne veux pas te perdre.

ROSE. Si tu ne continues pas le chemin, tu me perds.

MORITZ. Je te perds de toute façon. Rentrons. C'est ce qu'il y a de mieux à faire, rentrons.

ROSE. Tu peux faire comme tu veux. Moi je ne rentre pas.

MORITZ. Tu me quittes?

ROSE. Je ne te quitte pas. Je continue ma route.

MORITZ. Ici? Comme ça? Dans notre voiture, sur un terrain de stationnement, à Budapest, tu es en train /

ROSE. Si tu ne veux pas venir avec moi, c'est toi, c'est toi qui es en train de me quitter.

MORITZ. Mon amour.

ROSE. Je ne peux pas.

MORITZ. Moi non plus.

Rose sort de la voiture. Elle se couche sur le sol. Elle reste comme ça un moment. Elle se relève, ouvre la portière arrière, prend une robe et le rosier.

ROSE. Je t'aime.

Elle referme la portière. Part.

Moritz, tête appuyée sur le volant, allume la radio et laisse partir Rose sans la regarder.

Il sort de la voiture. Il ramasse, derrière, son habit et le coffre à outils. Il laisse les clés dans le contact, monte le volume de la radio et quitte la voiture à pied, dans la direction opposée à celle qu'a prise Rose.

Voiture. Musique.

DEUXIÈME PARTIE

JE NE SUIS PAS DE CELLES
QUI MEURENT DE CHAGRIN

2009. Un petit avion vide. Une agente de bord, seule dans l'appareil, chante doucement dans l'interphone.

ROSE, *en français.* «Voilà combien de jours,
Voilà combien de nuits,
Voilà combien de temps que tu es reparti?
Tu m'as dit: cette fois, c'est le dernier voyage,
Pour nos cœurs déchirés, c'est le dernier naufrage.
Au printemps, tu verras, je serai de retour,
Le printemps, c'est joli pour se parler d'amour.
Nous irons voir ensemble les jardins refleuris
Et déambulerons dans les rues de Paris[3].»

---

3. Barbara, *Dis, quand reviendras-tu?*

JE PARLE À TON PÈRE

2009. Baignoire.

SOPHIE. S'il te plaît meurs pas
s'il te plaît meurs pas
s'il te plaît meurs pas
s'il te plaît meurs pas
s'il te plaît meurs pas
s'il te plaît meurs pas
s'il te plaît meurs pas.

Je le sais que toi tu meurs pas
je le sais très bien
mais je parle pas à toi

je parle à ton père.

DORMIR AVEC TOI

*1999. Christophe écoute de la musique avec des écouteurs,
sur le canapé. Charlotte arrive. Il ne l'a pas entendue, il ne
se retourne pas. Elle reste debout derrière lui.*

CHARLOTTE. Tu n'es plus là.
Tu n'es plus ici
déjà.
L'amour
l'amour
qu'est-ce que c'était l'amour
et puis où il a passé ?
La musique nous sépare
le désir nous sépare
la nuit nous sépare.
Ne plus dormir avec toi
je pense il n'y a pas la trace plus violente de l'amour
enfui
ensuite le reste c'est des égratignures
du silence.
Tu ne racontes plus
boutique
clients
tu remâches tout tout seul.
Tu ne racontes plus les rêves.
Tu sais
au début
tu racontais tellement.
La soif de moi

l'amour
l'exil te faisaient parler sans arrêt.
Tu as tellement parlé
je t'ai tellement regardé
tes mains sur le bois et les colles et les presses.
Un enfant
je ne sais pas
mais un violon
j'ai l'impression je saurais –
peut-être un violon je pourrais
fabriquer de mémoire.

Qu'est-ce qui s'est passé
mon amour[4] ?
Où es-tu ?
Où es-tu maintenant ?

Je n'en peux plus de ne pas être ce qui te manque.
Je pensais je pouvais être le pays.
Je pense finalement le pays c'est dedans.
Je ne peux pas donner une chose comme ça
tu dois trouver dans toi.

On s'est trompés.
On sera toujours seuls.

---

4. Les phrases en italique sont dites en allemand.

SILENCES

2009. Un café. Ordinateur.

MARCO. Je t'écris presque tous les jours
pis je t'envoie rien.
Je t'écris parce que j'ai besoin de te parler
pis je t'envoie rien
je sais pas trop pourquoi.
Peut-être parce que j'ai besoin que tu comprennes
vraiment toi aussi
qu'on comprenne tous les deux en même temps
peut-être
chacun à notre façon
qu'on apprenne
c'est quoi le silence.

Je suis parti faire ça.
Apprendre le silence
partout dehors
pis moi au milieu
seul
tout seul
debout au milieu de ça qui va être ma vie
qui va être l'océan de ma vie.

Parce que même si on reste ensemble
au milieu de ça
je serai toujours tout seul.

Je te force à mon silence pour que tu comprennes ce
qui m'arrive.

Pas pour te faire mal
pas pour que tu rushes
pis tu dois rusher je le sais
mais j'ai besoin de faire ça
avec pis contre toi.

J'entends encore.
Presque pus
mais j'entends un peu.

J'écoute de la musique
tous les jours de plus en plus fort.

Ça brise ce qui reste
je le sais
j'aime mieux briser moi-même
on dirait.

Je suis encore à Berlin.
Je suis pas loin
juste un peu plus à l'est.
Mais je vas partir pour vrai
parce que j'ai trouvé
je pense
ce que je veux faire avant que ce soit fini pour vrai.

En fait

je suis parti pour deux raisons.
Tu vas comprendre pourquoi je peux rien te dire
je peux pas t'écrire.

J'avais besoin d'être tout seul pour arrêter d'entendre
pour rentrer là-dedans comme y faut
comme un homme
comme un enfant
seul
vivant.

J'avais besoin de me concentrer juste sur ce qui me
quitte
j'avais besoin de contempler ça qui part
les possibles
le paysage de mes possibles qui change
ce que je perds
la beauté infinie de ce je perds.

Je voulais faire de la musique
j'en ferai jamais
je le savais mais là ça devient vrai.
Pis viens pas me dire que Beethoven était sourd
j'aime pas Beethoven
pis je suis pas un crisse de génie.

Je suis parti aussi parce que t'es tombée enceinte
que tu me l'as pas dit.

Sophie
j'ai pensé que t'étais pas game
qu'avec moi
moi qui perds
moi qui perds toute
j'ai eu peur que tu veuilles pas
que ce soit trop pour toi
que tu m'aimes pus peut-être.
J'ai pleuré
j'ai pleuré de joie quand j'ai vu le bâton avec une
croix dans la poubelle.
J'ai pris mes affaires pis je suis parti
pour te laisser de l'air
et pis décider
décider toute seule
si jamais t'avais besoin de ça
de décider toute seule.

Quand je vas revenir
si t'es enceinte

je reste
si t'es encore enceinte
je partirai pus jamais.

Mon amour
je t'aime tellement.
Je t'aime comme un fêlé
je t'aime comme un cave
je t'aime comme un adolescent pogné avec ses poèmes
poches
je t'aime comme une vedette rock devant cinquante
mille personnes
plus que mon corps peut le supporter.
Je t'aime trop.
Je t'aime vraiment pis trop
pis j'ai peur.

Je t'aime comme une espèce menacée
furieusement
follement
désespérément.

Je t'aime comme un sourd
ici
loin
en silence.

Mais peut-être que t'es pas game.

LE SENS

1999. Aéroport de Berlin. Sacs. Foule.

MARIE. T'aurais pas dû venir me reconduire. C'est nul se dire bye à l'aéroport, j'haïs ça.

CHRISTOPHE. Je sais, c'est nul.

MARIE. On saura pas quoi se dire, là.

CHRISTOPHE. As-tu ton passeport ?

MARIE. Ben oui.

CHRISTOPHE. Pourquoi tu rentres ?

MARIE. Pourquoi je resterais ?

CHRISTOPHE. Pour moi.

MARIE. T'es marié. Tu l'aimes.

CHRISTOPHE. Arrête. C'est plus compliqué que ça.

MARIE. Faut que je passe du temps au Québec, sinon ça devient compliqué pour l'assurance-maladie pis toute ça, pis – tu le sais, là.

CHRISTOPHE. Sais-tu quand est-ce que tu vas revenir ?

MARIE. Ben non, ben c'est ça, là /

CHRISTOPHE. Moi ça se peut qu'en février je puisse y aller.

MARIE. Honnêtement, Christophe, je /

CHRISTOPHE. Je vas tchéquer ça, mais en février, je pourrais fermer la shop pis venir /

MARIE. Arrête. Arrête d'essayer de tchéquer ça.

CHRISTOPHE. Une semaine et demie. Deux semaines, ce serait super, deux semaines, ce serait comme le minimum, je le sais, mais /

MARIE. J'espère pus que tu viennes.

CHRISTOPHE. C'est quasiment faite, là.

MARIE. Arrête. Arrête de dire ça. Arrête de me bull-shiter.

CHRISTOPHE. Je bullshite pas ! Elle pense partir un peu dans sa famille, moi je vas dire que je vas dans la mienne, c'est tout à fait /

MARIE. Christophe. Écoute-moi. Je veux pas que tu viennes. Ça me tente pas. Pis je pense aussi que ça vaut pus la peine que je vienne.

CHRISTOPHE. Arrête, c'était super.

MARIE. Je le sais que c'était super, t'es super, je suis super, tout est tout le temps super, mais ça marche pas, là. T'essayes d'avoir un bébé avec ta femme pis tu m'empêches de partir en même temps, tu comprends-tu que pour moi, c'est pas cool. C'est pas cool pis je comprends rien.

CHRISTOPHE. J'aurais jamais dû te parler de ça.

MARIE. Une chance que tu m'en as parlé ! Moi j'en veux pas de bébé. J'en veux pas. J'en aurai pas. Toi c'est la chose que tu veux le plus au monde. Vous faites des traitements de fertilité, toi pis Charlotte /

CHRISTOPHE. C'est pas moi, c'est elle.

MARIE. Christophe. Come on. Vous essayez de faire un bébé. Moi je vas te dire quelque chose : y arrivera jamais ce bébé-là si tu continues avec moi.

CHRISTOPHE. Je t'aime.

MARIE. Tu me dis ça pour la première fois ici, t'es-tu vraiment en train de faire ça ?

CHRISTOPHE. Je t'aime.

MARIE. Non. Tu penses que tu m'aimes.

CHRISTOPHE. Je sais ce que je sens : je pense pas que je pense que je t'aime. Je t'aime.

MARIE. Non.

CHRISTOPHE. Qu'est-ce que tu veux que je fasse ? Tu m'annonces qu'on /

MARIE. Rien. Je veux rien, je te le jure.

CHRISTOPHE. On peut pas pas se revoir, ç'a aucun sens /

MARIE. Du sens ? C'est quoi, le sens ? Le sens de nous deux ? C'est pas une histoire d'amour, là, c'est une histoire de désir. C'est quoi, le sens du désir ?

CHRISTOPHE. Je sais pas, mais ça arrive pas pour rien /

MARIE. Non, c'est pas arrivé pour rien. Sûrement pas. Moi je pensais que je pouvais pas être amoureuse. Je me trompais. C'est beau, ça. C'est toi qui m'as appris ça. Que je me trompais. Mais ça finit par exemple. Ça finit maintenant.

CHRISTOPHE. Je t'aime.

MARIE. Je sais pas si tu te rends compte à quel point c'est cruel de me dire ça pour la première fois maintenant. Mais c'est pas grave.

CHRISTOPHE. Je t'aime.

MARIE. Non, tu m'aimes pas.

CHRISTOPHE. Oui.

MARIE. Non. Tu m'aimes bien, tu m'aimes beaucoup sûrement, tu t'es attaché, je suis attachante, en plus je fais partie d'aucun de tes problèmes, je suis en dehors, à côté de ta vie, je suis ailleurs, c'est ça que t'aimes, t'aimes rentrer quelque part où tu te sens pas en exil, pis c'est avec moi, avec moi que tu fais ça, que tu te reposes, mais c'est pas aimer, ça, c'est être en manque, c'est avoir le mal du pays – Christophe : tu m'aimes parce que je suis Québécoise. C'est tout. Pis tu me désires. Fait que tu penses que tu m'aimes.

CHRISTOPHE. Non, c'est pas juste ça, c'est plus que ça.

MARIE. Ben tu l'as pas prouvé.

CHRISTOPHE. Je prends des risques, là ! Je prends des risques pour être avec toi !

MARIE. Je le sais que tu prends des risques, mais c'est parce que sinon tu mourrais d'ennui !

CHRISTOPHE. Crisse, non !

MARIE. Faut que j'y aille, là.

CHRISTOPHE. C'est toi qui m'aimes pas en fait.

MARIE. Tout a une fin. L'amour aussi.

CHRISTOPHE. Au mois de février, je peux sûrement venir deux semaines.

MARIE. Je t'attends pas.

CHRISTOPHE. Je t'aime.

MARIE. Je t'attends pas, Christophe.

CHRISTOPHE. Je t'aime.

MARIE. Bye. Bonne route.

CHRISTOPHE. Je vas être là.

MARIE. Bye, Christophe.

Lait et fraises

2009. Au café Blumen für Pina. C'est fermé, les chaises sont sur les tables. Miettes, chiffon, Leonard Cohen qui joue doucement.

SOPHIE. Je suis après virer folle, c'est juste ça. Tsé, un gars qui donne pas de nouvelles trois jours, oké, une semaine, euh, oké, deux semaines, c'est rushant, mais là, trois semaines? À l'étranger? Y parle pas la langue, y entend mal, c'est vraiment, c'est vraiment de la marde. Y cherche clairement la marde. Qu'est-ce qu'y fait, y est où? Pis là j'ai peur, j'ai mal au ventre tout le temps, je suis tellement stressée, on dirait que je pourrais accoucher demain, j'ai mal au cœur pis j'ai mal au ventre pis je pleure juste tout le temps, je pleure, je sacre, pis j'ai des contractions, je pense.

MARIE. Des contractions? Mais t'es à combien de semaines?

SOPHIE. Je le sais même pas. Depuis deux mois, je suis pas menstruée.

MARIE. As-tu vu un médecin?

SOPHIE. Non. Je mange des fraises. Je bois du lait.

MARIE. Oké… Je pense que ça se peut pas vraiment que t'aies des contractions.

SOPHIE. Je le sais, mais j'ai mal au ventre. J'ai peur de le perdre, pour vrai.

MARIE. Tu voudrais pas voir un médecin?

SOPHIE. Je sais même pas si on le garde. Je sais pas si on peut – si on veut le garder. Comment je fais pour décider ça sans lui?

MARIE. Toi – pour toi, juste toi, est-ce que tu sais?

SOPHIE. Oui. Mais j'ai peur d'être tellement rushante que le bébé reste pas. Comme Marco. J'ai des contractions, je pense. Je te jure.

MARIE. Là, là?

SOPHIE. Non. Mais dans la vie je veux dire. La nuit genre.

MARIE. Tu veux le garder?

SOPHIE. Je pense que oui.

MARIE. Je vas te trouver un médecin. Pis tu vas faire une affaire pour te calmer: tu vas expliquer à ton bébé ce qui se passe pis pourquoi tu pleures tout le temps.

SOPHIE. Mais je le sais même pas ce qui se passe.

MARIE. Tu vas parler à ton bébé. Raconte n'importe quoi d'abord.

SOPHIE. Est-ce qu'y m'entend?

MARIE. Non. Techniquement non. Pas encore. Mais on s'en fout. Parle. Raconte des histoires. Dis-lui de rester.

SOPHIE. J'ai pas le goût de parler. J'ai le goût qu'on me parle, que quelqu'un, que quelqu'un d'autre me parle à moi. Qu'on me parle de d'autre chose.

MARIE. Oké. Bon, écoute. Tu vas venir ici quand tu veux. Tous les jours si y faut. Plus qu'une fois par jour, au pire. Tu viens le matin, tu viens le soir. Moi je vas te parler. Toi tu diras rien si tu veux rien dire. Je vas te parler de plein d'affaires. Toi, en échange, tu vas parler à ton bébé. Moi je vas m'occuper de toi, toi tu vas t'occuper du bébé.

SOPHIE. Oké.

MARIE. Tu veux-tu d'autre gâteau?

SOPHIE. Oui.

MARIE. Bon. Tiens.

SOPHIE. Heille, tu dois être vraiment fatiguée, toi. J'espère que tes journées sont pas toutes de même. Heille, j'espère que tes clients sont pas toutes de même! En tout cas, moi, je suis fatiguée, là. Je suis fatiguée en estie. Mais tu vas voir : quand je parle pas, je suis vraiment moins d'ouvrage.

LABYRINTHE

2009. Au bord de la Spree. Arbres. Banc. Moritz s'adresse en allemand à Marco, qui lui répond en français.

MORITZ. *Vous, je vous reconnais.*
Pas la première fois que je vous vois.
Vous attendez quelqu'un.

MARCO. Je parle pas allemand. *Je ne parle pas allemand.*
Pis je vous entends pas.

MORITZ. *C'est bien*
c'est bien.
Comme ça on peut parler peut-être.
Peut-être qu'en fait on n'a pas vraiment besoin que les autres comprennent quand on parle. Peut-être qu'au fond on a juste besoin de dire les mots.
Les sortir de soi.
Les rendre au monde.

MARCO. Je parle pas allemand, monsieur.

MORITZ. *Moi je l'ai tellement attendue*
Rose
je reconnais les gens qui attendent.

MARCO. Bon. Comme vous voulez dans le fond.

MORITZ. *Ça fait peur*
hein ?
Se rendre compte qu'on pourrait attendre toute sa vie.
Que ça pourrait être ça

notre vie.
Une longue attente sans délivrance.

Je savais que je la perdrais
je l'ai su tout de suite.
Elle était ailleurs
son cœur
ses yeux
tout ailleurs.
Je me suis dit :
« Je vais la perdre » avant de l'avoir embrassée pour la pre-
mière fois.
On sait ces choses-là.
On les voit passer furtivement dans nos esprits
juste avant le sommeil
ou on passe sur une place
et on s'aperçoit
on croit se voir
vingt ans plus tard
la tête basse et sans celle qu'on aime.

Parfois

je marche sur Alexanderplatz
je me vois à vingt-quatre ans
avec elle.

On a été heureux
parfaitement.
J'ai fait semblant pendant longtemps de ne pas savoir ce
que je savais
de ne pas croire le pressentiment.

je me suis souvent demandé si notre temps de bonheur ici
était compté
si on en avait chacun une portion
déterminée d'avance
tant pour toi

tant pour moi.
Je me suis souvent demandé si j'avais eu ma part
si c'était bon
si c'était fini.

Ça ne reviendra plus ?
Ça ne reviendra plus.
Je ne suis pas vieux
mais on dirait que ça ne reviendra plus
jamais.

On s'est séparés avant de passer à l'Ouest
elle a continué
je suis resté
et un mois plus tard
peux-tu croire
un mois plus tard
le mur tombait.

Tout ça pour ça.

La peur
la peur
tu ne peux pas savoir ce que c'était cette peur
glacée
visqueuse
mortifère.

Et le mur est tombé.

Dans la foule
je pleurais
j'étais le seul qui pleurait de chagrin
de déception.

Ce qui a réuni tout le monde nous a séparés pour de bon.
Je n'avais pas eu le courage au moment où il fallait l'avoir.
J'avais un courage différent
j'avais le courage de rester

de durer
ce courage-là
je l'avais
je l'avais pour deux
mais je n'avais pas le courage de la liberté
la sienne
je n'avais pas le courage de son chagrin
et je n'ai jamais pu la consoler.

MARCO. Je sais pas si t'es fou ou si t'es juste triste. Mais des fois, c'est comme la même affaire, han monsieur?

MORITZ. *On n'a jamais été capables de se reparler.*
De se redire des mots.
Je sais qu'elle ne m'en veut pas
mais elle a été tellement déçue.
Et je ne suis plus capable de rien.
Elle m'aimait.
Je l'ai perdue.

MARCO. Je sais pas pourquoi t'as choisi de parler à la personne qui pouvait le moins comprendre ce que tu racontes, mais bon. C'est correct. Des fois, c'est ça même quand on a l'impression de se comprendre, fait que. Au moins là, ç'a le mérite d'être clair.

MORITZ. *Je l'ai retrouvée.*
Je l'ai retrouvée tout de suite
quinze kilomètres plus loin.
Tout ce chemin pour échouer quinze kilomètres plus loin.
Une fois par an
je dépose un billet d'opéra dans sa boîte à lettres.
Une fois par an
elle vient s'asseoir dans la même salle que moi
dans le noir.
Deux places séparées.
Elle au parterre
moi au balcon

pour pouvoir la regarder.
Nos deux vies dans le même théâtre
chaque 13 octobre
pour être ensemble quelque part
quelques heures.
Je ne sais pas si elle sait.

L'anniversaire de notre fuite
de ça elle se souvient
c'est sûr
c'est certain.

Être ensemble quelque part
même si ce n'est plus possible.

MARCO. Je vas aller au bord de la mer, je pense. Je resterai pas ici. Est-ce que c'est loin, la mer Baltique? C'est-tu beau? J'ai besoin de voir quelque chose de beau.

MORITZ. *La seule chose qui me console*
c'est que je sais
au plus profond de moi
je sais que je l'aurais perdue de toute façon
qu'ici
je l'aurais perdue autrement
même si nous avions traversé ensemble.
Le choc aurait été trop brutal
pour moi surtout
qui croyais
malgré tout
que c'était possible
vivre là-dedans.
Vivre ensemble
je croyais que ça pouvait exister.

Communisme.

(En français.) Communisme.

L'amour aussi

c'est une utopie.

Est-ce que ça fait moins de dégâts ?
Je ne sais pas.
Je ne sais plus.

Ici
avec elle
je l'aurais perdue
de façon plus lente
plus banale
et sûrement plus laide.

Je l'aurais perdue.

Tiens

regarde
ce sont les billets pour l'opéra
tiens.

(En français.) Opéra.

Les veux-tu ?
Je te les donne.

MARCO. Monsieur, j'entends pas. J'entends plus.

MORITZ. *S'il te plaît*
prends-les.

MARCO. Monsieur, je suis sourd. Ça sert à rien. Que j'aille à l'opéra, ça sert à rien. Je vas juste avoir le goût de mourir.

MORITZ. *C'est dans deux semaines.*
Sois courageux.
La vie passe.
De ça
tu peux être sûr.

MARCO. Oké. Ben oké d'abord. Merci. *Merci bien.*

MORITZ. *La vie passe.*

Consigne lumineuse

2009. Un petit avion presque vide. Un vol de jour, entre Paris et Berlin. Somnolence légère. Parmi les passagers, Charlotte.

ROSE, *en allemand, puis en français.* Mesdames et messieurs, veuillez attacher votre ceinture, redresser votre siège et relever votre tablette en prévision de la descente. Nous atterrirons à l'heure prévue, c'est-à-dire à 11 heures 35, heure locale. La température à Berlin est présentement de 18 degrés Celsius, sous un ciel couvert. Des averses sont prévues en après-midi.

Rose passe dans l'allée étroite, vérifie que tous sont attachés. Elle ramasse les journaux. Elle se rassoit devant. Elle retourne à son interphone et parle en français.

ROSE. Mesdames et messieurs, je profite du fait que nous sommes très peu nombreux dans ce vol, et aussi que presque tout le monde dort, pour vous remercier personnellement de votre gentillesse au cours du voyage. Je quitte une minute mes fonctions pour vous faire remarquer que si vous regardez par les hublots à droite de l'appareil, vous pourrez voir Vénus qui brille en plein jour. C'est très rare. Il paraît que ça porte bonheur. Juste ici. Au bout de l'aile. On dirait une très grosse étoile. Merci.

Elle se rassoit et se relève.

ROSE, *en allemand.* Je m'appelle Rose.

Même manège.

ROSE, *en allemand.* Nous sommes ensemble pour encore quelques minutes, alors je vais vous dire quelque chose. Je vais vous le dire, même si je sais bien que je ne devrais pas. Parfois, je me dis que si nous nous parlions davantage, si nous nous parlions vraiment, peut-être que nous serions moins malheureux. Nous sommes le 9 octobre 2009. Il y a vingt-trois ans, j'ai eu une fille. C'est son anniversaire aujourd'hui. Elle est grande, c'est une jeune adulte, c'est une femme, et j'espère de tout cœur qu'elle est heureuse. Je ne sais pas où elle est. Je ne sais pas où elle est. Elle a passé toute son enfance loin de moi. Je pense à elle tous les jours. Je pense à ses yeux tous les jours. Je ne l'ai jamais retrouvée. Pendant le temps qu'il nous reste dans le ciel, à descendre vers Berlin, je vais lui souhaiter, où qu'elle soit, une journée magnifique. Et une vie merveilleuse. Si vous voulez, faites-le avec moi.

Elle ferme les yeux.
Elle fait un vœu.

ROSE. Merci, je vous remercie beaucoup. Je vous remercie infiniment.

Elle reprend une attitude neutre, détachée, professionnelle. Elle donne ses consignes en allemand, puis les répète en français.

ROSE. Mesdames et messieurs, nous vous rappelons que vous devez rester attachés jusqu'à l'extinction de la consigne lumineuse. Vous pourrez rallumer vos téléphones portables à l'intérieur du terminal seulement. Nous vous remercions d'avoir voyagé sur les ailes de Lufthansa et espérons vous revoir bientôt.

HEIMAT

2009. Salle d'attente d'une clinique d'obstétrique. Marie accompagne Sophie.

MARIE. Y a un mot en allemand qui est très beau.
C'est un mot qui a pas d'équivalent en français :
Heimat.
Ça veut dire quelque chose comme :
« terre natale ».
Ça veut dire aussi les tiens
ceux qui t'aiment
que tu aimes.
C'est la maison
mais comme si la maison était juste une affaire de
cœur
de chaleur –
comme si le pays
c'était juste une émotion.
Quand je rentre au Québec
je suis toujours découragée
je trouve ça laid
pis je me trouve nulle de trouver ça laid.
Ici
je trouve pas ça plus beau han
faut pas croire
ici aussi y a des choses d'une laideur incroyable
c'est juste qu'au moins c'est pas supposé être chez
nous.
Mais au Québec
je te jure

moi
la 20
les maisons en clapboard
les fast-foods
les centres d'achats
les constructions basses
plates
sans beauté
sans pensée
ça me déprime tellement.

Mais y suffit d'un vol d'outardes au-dessus de toute ça
pour que je me sente chez moi
de retour.

Heimat.

Là où je reviens tout le temps
comme un oiseau qui retrouve chaque fois le chemin.
Y a des gens qui retournent dans des bras
chaque fois les mêmes –
moi je retourne en dessous d'un ciel plein de bernaches.

Même si j'ai l'impression de pas savoir ce que c'est
un pays
peut-être que c'est pas vrai
peut-être qu'y a quelque chose en moi qui sait
qui se souvient de ça aussi
quelque part en dedans
caché
attaché
arraché.

Sans voix

1999. Christophe dort sur le canapé chez lui.
Charlotte arrive.
Christophe se réveille, se retourne.
Elle passe derrière lui, puis revient. Elle s'arrête à quelques pas du divan.
Christophe s'assoit.
Charlotte s'assoit sur le dossier du canapé.
Elle glisse à la hauteur de Christophe.
Ils se regardent. Puis ils ne se regardent plus.
Christophe essaie de se rapprocher, microscopiquement.
Charlotte part très vite.
Elle vomit.
Elle revient. Se rassoit.
Christophe essaie de la toucher. Sa main à lui, qui tente de rejoindre sa cuisse à elle.
Elle se crispe.

CHRISTOPHE. Tu vomis pas parce que /

CHARLOTTE. Non.

Ils restent là.
Christophe regarde sa montre. Il ne sait plus où se mettre.
Ils se lèvent, tous les deux.
Ils ne se regardent pas. On sent que Christophe hésite. Peut-être qu'il voudrait prendre Charlotte une dernière fois dans ses bras. Il ne le fait pas.
Ils partent, chacun dans une direction.
Sans qu'on sache comment, ils se sont quittés.

ENTENDRE

2009.

SOPHIE. Je voulais te dire que j'aimerais ça que tu restes.
Je suis pas capable de te parler ben ben
c'est vrai
je suis poche
je me sens comme de la marde.
J'ai pas le goût de parler je pense
mais ça
ça me tente que tu le saches.
Je le sais que tu pourrais encore décider de t'en aller
pis vu que je suis pas tellement
euh
joyeuse
pleine d'allégresse
toute ça, là
de félicité
je sais pas
j'ai peur que tu le fasses
que tu disparaisses toi aussi.

Je suis comme bouchée parce que je pensais pas que
ça se passerait comme ça
ma vie tsé
avoir un bébé
je pensais pas
je le savais pas
en tout cas.

J'ai l'impression d'être encore une enfant.

Mais j'aimerais ça que tu restes
pis que tu t'inquiètes pas chaque fois que je m'inquiète
parce que t'as pas fini mettons.

Je sais pas si ça t'aide
y paraît que t'entends pas encore
c'est pas grave
je suis habituée à ça.

Pis ton père est pas là
on le sait pas y est où
on va faire comme si y s'en venait
le petit maudit
le petit crisse
le petit crisse de niaiseux de cave de cheval fou que
j'aime.

Je vas te mettre de la musique.

On va dire que ton père
pour le moment
c'est un beau violoncelle grave pis calme qui t'aime
qui t'aime plus que tout
pis qui est là
qui est là pour toujours
pis qui te parle dans une langue que vous comprenez
juste vous deux.

Tiens
écoute.

Elle pose des écouteurs sur son ventre. Suites pour violoncelle seul, *de Bach.*

MERS

2009. Devant la mer Baltique. Marco s'enregistre.

MARCO. Mon fils
ou ma fille
je vas te raconter une histoire.
C'est l'histoire d'un petit garçon qui vivait heureux
à Château d'eau
pas très loin de la chute Kabir Kouba pis du village
Huron.
C'était un petit garçon qui riait tout le temps
qui faisait du bécycle
qui jouait au hockey
qui dessinait.
Un petit gars pareil à plein d'autres petits gars
avec les cheveux tout le temps pleins de vent
parce qu'y jouait dehors toute la journée
que son père lui apprenait à faire des nœuds comme
les scouts
que sa mère lui apprenait à apprivoiser les mésanges
comme les princes.
Les oiseaux se posaient dans ses mains.

C'était un petit gars heureux
très très heureux
heureux comme un petit gars peut être heureux
à l'infini.

Un jour
ses parents lui ont fait une surprise.

Y voulaient qu'y soit encore plus heureux
alors le jour de ses neuf ans
y ont emmené le petit garçon passer la nuit dans un
tipi
pis y ont fait un grand feu.
Y ont dit :
« Tu deviens grand
nous te devons une histoire. »

Y ont dit au petit garçon :
« Nous t'aimons tant
nous t'aimons très très très fort
nous t'aimons plus que tout.
Nous voulions te dire que nous t'avions choisi
choisi vraiment
et que tes vrais parents
ils t'aimaient aussi très fort
tellement fort qu'ils ont décidé de te confier à d'autres
gens
nous
parce qu'ils pouvaient pas te donner
tout ce qu'ils voulaient te donner.
Ils manquaient de tout.
Ils voulaient que tu grandisses ailleurs
mieux
plus loin
du bon côté du monde
et nous
nous voulions tellement un petit garçon.
Nous t'avons tant espéré.
Ils nous ont fait le plus beau cadeau de toute notre
vie en te confiant à nous.
Tu es notre plus grande joie. »

Le petit garçon avait appris des mots nouveaux
pis en quelques minutes y était devenu grand

y avait pas dormi du tout sous le grand tipi
les yeux ouverts dans la nuit du monde.

Le petit garçon aimait ses parents
alors y a compris
y a tout bien compris
y a continué à courir dehors
à rire
à perdre ses dents
à grandir
à faire des cabanes dans les arbres
à aller à l'école
à faire ses devoirs.
Y a fait des spectacles
des gâteaux
des dessins pour ses parents qui l'aimaient tant.

Mais y s'est mis à entendre le monde s'éloigner tout
doucement
lentement.
C'était le monde
ou c'était lui ?
Le petit garçon savait pas lequel des deux s'en allait
mais le petit garçon a dû mettre la musique de plus
en plus fort dans ses écouteurs
pour entendre ses groupes préférés.
Quand ses parents s'en sont aperçus
y était trop tard.
De toute façon
les médecins ont jamais trouvé ce qu'y avait :
soit c'était une maladie bizarre héritée de ces parents-
là qui venaient de l'Est
pis qui ont eu trop peur pour lui
trop peur pour le garder avec eux
soit c'était un chagrin d'enfant qui s'est étendu
comme une tache d'huile.

Le petit garçon qui aurait préféré jamais savoir
pas entendre
fermait l'endroit par où y avait appris l'abandon.

Je le sais que j'ai eu une vie heureuse.
J'aime mes parents
y sont magnifiques
parents de conte de fées.

J'aime les parents qui m'ont laissé partir aussi
y l'ont fait pour me sauver
je le sais.

Mais j'ai quand même arrêté d'entendre.

Je me disais que j'allais essayer de retrouver ma mère
avant d'avoir un enfant
mais je le ferai pas.
J'ai pas le temps.
T'arrives avant
t'arrives
toi.

Pis en plus
à quoi ça servirait d'aller cogner à une porte à Buca-
rest ou je sais pas où
pour retrouver peut-être une femme désolée
qui parle une langue étrangère
qui saurait rien de mes jeux d'enfant
de mes yeux d'enfant.

Je me remettrai pas à entendre.

Ce sera plus ordinaire
ce sera plus courageux peut-être
un peu.
Je vas rien faire
je vas juste revenir te retrouver
retrouver Sophie

te raconter qu'y a
sur la Terre
plus qu'une mer
que je les ai pas toutes vues
qu'y en reste encore des inconnues
que j'aimerais t'y emmener
qu'on fera des châteaux de sable.

Ce qui me fait le plus de peine
c'est que même si tu t'es dépêché
j'entendrai jamais ta voix
ton rire.

Je suis venu ici parce que c'était ce que je voulais
entendre en dernier
le bruit de la mer.

Je suis arrivé trop tard
mais c'est pus important.

Je voulais te dire :

je m'en viens
pis tu vas être le début du monde.

UNE QUESTION

2009. Christophe est chez lui, à Montréal. Charlotte lui téléphone depuis une chambre d'hôtel de Jérusalem.

CHRISTOPHE. Oui, allo.

CHARLOTTE. Bonjour, je voudrais parler à Christophe Saint-Laurent, s'il vous plaît.

CHRISTOPHE. Charlotte ? C'est toi ?

CHARLOTTE. C'est moi.

CHRISTOPHE. Han ? Oké, euh, allo, han ! Comment ça va ? T'es où ?

CHARLOTTE. Je vais bien, je vais bien. J'avais besoin te parler, j'ai trouvé ton nom et le numéro sur l'Internet. Je ne savais plus où tu étais. Tu as changé l'adresse.

CHRISTOPHE. J'ai changé de job. J'ai arrêté la lutherie. Je fais pus ça pantoute, j'ai arrêté, c'est comme devenu absurde à un moment donné. J'ai vendu la boutique. J'ai tenu deux ans pis j'ai arrêté. J'habitais là, au-dessus je veux dire, j'ai juste tout vendu. C'est comme si – je sais pas. Comme si ça avait pus de sens, de faire ça.

CHARLOTTE. Je comprends.

CHRISTOPHE. Je travaille pour le gouvernement. C'est plus tranquille pis ça me prend pas toute la tête, je veux dire, c'est un travail. Je chante dans une chorale. J'adore ça, même si des fois, sérieusement, je trouve

110

qu'ils ont vraiment un balai dans le cul, les concerts pis toute, c'est vraiment compliqué, en tout cas. Je. Je sais pas pourquoi je te parle de ça, là.

CHARLOTTE. J'ai une question.

CHRISTOPHE. Comment tu vas?

CHARLOTTE. Je ne sais pas. Écoute. J'ai une question. J'ai besoin que tu dois me répondre vraiment. Je perds la langue, j'espère tu entends bien ce que je dis.

CHRISTOPHE. T'es où, là?

CHARLOTTE. Je suis à Jérusalem, je chante demain et je presque perdu la voix.

CHRISTOPHE. Charlotte, qu'est-ce qui se passe?

CHARLOTTE. Je veux savoir. Si j'étais tombée enceinte, serais-tu resté?

CHRISTOPHE. Quoi?

CHARLOTTE. J'étouffe avec la question, je veux la réponse.

CHRISTOPHE. Pourquoi? Est-ce que t'étais enceinte?

CHARLOTTE. Réponds. Serais-tu resté?

CHRISTOPHE. Non. Je serais reparti. Non. Je serais pas resté.

CHARLOTTE. Merci. Merci.

CHRISTOPHE. Es-tu enceinte?

CHARLOTTE. Quoi?

CHRISTOPHE. T'es enceinte, c'est ça?

CHARLOTTE. Christophe, j'ai quarante-trois ans, je suis chanteuse d'opéra. Non. Je ne suis pas enceinte. Ce n'est pas possible. Je t'embrasse.

CHRISTOPHE. Oké. C'est tout?

CHARLOTTE. C'est tout. J'espère tu vas bien.

CHRISTOPHE. Charlotte. Excuse-moi. Pour tout, je veux dire. Oké? Je t'embrasse.

CHARLOTTE. Je suis sûre tu es magnifique dans la chorale et tu n'as pas le balai nulle part. *(En allemand.) Au revoir. Merci encore. Merci, Christophe.*

LA MORT DE ROSTROPOVITCH

2009. Café Blumen für Pina. Avec Sophie.

MARIE. Quand Rostropovitch est mort –
y a deux ans ?
C'était y a deux ans.
Je me rappelle pus la date exacte
c'était au début de mai je pense.
Un drôle de mois de mai :
ici tout était en fleur depuis avril
y avait fait tellement beau
je m'étais déjà promenée en sandales…
Pis là
le mois de mai est arrivé
tout est redevenu gris.
Y avait du pollen partout
je me promenais dans la ville
mon nez coulait
mes lèvres étaient sèches
j'avais froid
j'étais gelée.
C'était comme un faux printemps
tsé
les printemps trop durs
les printemps de catastrophes
d'inondations
de feux de forêt
de ruptures.
Des fois ça fait ça.
Des fois toute vole en éclats

toute se brise en même temps
personne comprend.

Rostropovitch est mort.
Je le connaissais pas moi non plus
c'est Christophe qui m'avait raconté.

Quand le mur est tombé
y est venu dans les premiers
jouer du violoncelle ici
au bord du mur.
Y a posé une chaise
y a joué du Bach.
Lui le Russe qui jouait la musique d'un Allemand
parfaitement :
la même âme
l'âme partagée.
C'était un virtuose.
Y est venu les réconcilier
y est venu donner sa musique
rendre hommage au courage des gens
à ceux qui s'étaient perdus à cause de ça
à ceux qui avaient perdu de vue la beauté.

Je sais pas pourquoi

mais ça m'a vraiment fait de la peine qu'y meure.
J'ai appelé Christophe même si ça faisait longtemps
qu'on était pus ensemble.

Y était pas là.
Sur le répondeur
c'était une toute petite fille qui parlait
qui disait que j'avais bien appelé chez Maude, Christophe et Violette
elle était adorable
pis elle était crampée
j'ai entendu son bonheur à lui

j'ai été tellement contente
j'ai eu le cœur serré de joie
je me suis dit que tsé
tout arrivait
tout arrivait finalement
j'ai pas laissé de message
ça faisait trop longtemps qu'on s'était pas parlé
y l'a pas su que j'ai entendu la voix de sa fille
sa petite fleur
sa petite
espérée si longtemps
de si loin
y l'a pas su que j'ai pensé à lui ce jour-là.

Toutes les fois où quelqu'un pense à nous
pis qu'on le sait pas
c'est fou.

Est-ce que ça changerait nos vies tu penses ?
Si on le savait ?

T'ES OÙ T'ES OÙ T'ES OÙ T'ES OÙ T'ES OÙ T'ES OÙ T'ÉTAIS OÙ

2009. Rue. Sacs. Cellulaire.

SOPHIE. Allo.

CHRISTOPHE. Sophie Gagnon ? Ici ATS Canada, on a une communication pour vous de la part de Marc-Olivier /

SOPHIE. Oh mon Dieu, oh mon Dieu, oh mon Dieu /

CHRISTOPHE. Êtes-vous prête, Sophie, je vas commencer /

SOPHIE. Oh mon Dieu, Christophe, faut que je m'assoie, je suis dans la rue, je peux pas, je peux pas croire, je peux pas rester debout, Christophe, je m'assois, y faut, ce sera pas long. Je peux pas, j'ai comme, j'ai les jambes qui me lâchent.

Elle s'assoit par terre, elle finit par se coucher peut-être, elle lève les jambes. Elle respire, se rassoit, au milieu de ses sacs.

CHRISTOPHE. Ça va ? Vous êtes toujours là ?

SOPHIE. Je suis là, je suis toute là. Je suis prête, je suis tellement prête. Oh mon Dieu.

CHRISTOPHE. Je commence : « C'est moi ».

SOPHIE. Je sais.

CHRISTOPHE. « Il faut qu'on rentre. »

SOPHIE. Je sais. Viens-t'en.

CHRISTOPHE. « J'ai eu peur de te perdre. »

SOPHIE. Moi aussi, moi aussi j'ai eu peur, j'ai eu très peur que tu me perdes, qu'on se perde, j'ai eu peur que tu te perdes.

CHRISTOPHE. « Je voudrais te demander pardon, mais en même temps, j'avais besoin d'aller tout seul dire au revoir à quelque chose qui reviendra plus, qui reviendra jamais. »

SOPHIE. Je sais.

CHRISTOPHE. « Je reviens moins triste, pis moins fâché. Je reviens plus vivant. »

SOPHIE. Marco, je suis enceinte.

CHRISTOPHE. « Je le sais. »

SOPHIE. Han ?

CHRISTOPHE. « Je sais. Je partirai plus. »

SOPHIE. T'es où ?

CHRISTOPHE. « Sophie, j'entends plus du tout. Je n'entends plus. »

SOPHIE. Je sais. Je suis désolée.

CHRISTOPHE. « Je t'aime plus qu'avant. »

SOPHIE. Moi aussi, mais t'es où, t'es où, t'es où, t'es où, t'es où ? T'étais où ?

CHRISTOPHE. « J'ai plein de lettres pour toi. Je les ai avec moi. Je vais te les donner, tu vas les lire, tu vas faire le voyage que j'ai fait. »

SOPHIE. Marco, on s'en va d'ici.

CHRISTOPHE. « Oui, mais ton stage ? »

SOPHIE. Sans joke, on s'en crisse de mon stage.

CHRISTOPHE. « Oké. Je te rejoins à l'aéroport, samedi à dix heures. Je nous prends des billets, on rentre, on rentre, mon amour. »

SOPHIE. Je t'aime pis j'ai eu peur.

CHRISTOPHE. « Moi aussi. »

SOPHIE. Jure-moi que tu reviens.

CHRISTOPHE. « Je te le jure. Jure-moi que je vais plus rien perdre. »

SOPHIE. Je te le jure. Tu perds pus. Tu gagnes. Tu vas voir, tu croiras pas à ça. Tu perds pus jamais.

CHRISTOPHE. « Je vais raccrocher. Je t'aime. Samedi, dix heures. Je t'aime. »

SOPHIE. Fais-moi pus jamais ça.

CHRISTOPHE. « Promis. »

SOPHIE. Oké. Bye. Je t'aime.

CHRISTOPHE. La communication est terminée, Sophie. Je suis très content pour vous. Vraiment. Nous vous remercions d'avoir fait appel aux services de téléphonie ATS Canada, ATS Canada public service thanks you.

SOPHIE. Christophe, sans joke, quand j'arrive au Québec, je pense que je vas aller te porter des fleurs. Je vas aller planter des fleurs chez vous. Sans joke. Je vas te faire un jardin.

DANCE ME TO THE CHILDREN
WHO ARE ASKING TO BE BORN

2009. Clinique d'obstétrique.

Charlotte, toute seule.
Elle chante un air à l'enfant dans son ventre, très doux, et très beau.

Peut-être de l'opéra. Peut-être pas. Peut-être du Leonard Cohen.

CHARLOTTE. « Dance me to your beauty with a burning violin
Dance me through the panic 'til I'm gathered safely in
Lift me like an olive branch and be my homeward dove
Dance me to the end of love
Dance me to the end of love
Oh let me see your beauty when the witnesses are gone
Let me feel you moving like they do in Babylon
Show me slowly what I only know the limits of
Dance me to the end of love
Dance me to the end of love
La la
la la la la la la
la la la la la la
la la la[5] »

---

5. Leonard Cohen, *Dance me to the end of love.*

JE NE SUIS PAS REVENU POUR REVENIR

2009. Devant chez Rose.
Une toute petite neige tombe.
Moritz attend, assis sur les marches.
Rose arrive au loin, avec une petite valise à roulettes.
Quand il la voit arriver, il se lève. Il l'attend debout, ne sait pas où se mettre.
Elle arrive devant lui.
Elle le regarde, ne dit rien.
Elle sort ses clés. Elle tremble.

MORITZ. Nous n'irons pas à l'opéra.
C'est demain.
J'ai perdu les billets.
Nous n'irons pas.

Rose se retourne vers la porte. Elle ouvre.
Elle entre la petite valise.
Entre elle-même, referme la porte.

Long temps.

Elle revient, ouvre la porte. Ne parle pas.
Ils se regardent, très longtemps.

MORITZ. Si tu veux, on pourrait marcher.

TOUT N'EST PAS PERDU

*2009. Aéroport. Marie, avec Marco et Sophie, à l'entrée du
contrôle de sécurité.*

MARIE. Merci pour les billets d'opéra.
Je vas y aller.
Peut-être qu'y va m'arriver quelque chose de beau.

J'attends toujours que quelque chose arrive.
Dans la vie je veux dire.
J'espère un hasard magnifique.

Je sais que les choses *arrivent* pas en général
pas toutes seules
je sais qu'y faut souvent
soi
soi-même
seul
tout seul
faire advenir ses propres histoires.
Mais.
En même temps.
Je peux pas m'empêcher de me dire que
une fois
une bonne fois
quelque chose enfin arrivera sans moi
pis que ce sera vraiment
que ce sera vraiment magnifique.

Au début je voulais juste te parler.
Pour te tenir.

Je voulais te parler de miracles pis de culpabilité.
D'amours impossibles
d'humanité
de maçonnerie.
Je voulais te parler de fidélité
d'Amérique
de réserves amérindiennes
de communisme
de folie.
Je voulais te parler de littérature pis de déception
d'arpentage
de lutherie
de la Palestine
du chagrin de nos mères.
Je voulais te parler du Danube pis aussi du mur des
Lamentations
mais je sais pas pourquoi là
quelque chose a tourné :
c'est toi qui m'as tenue.
Je sais pas comment t'as fait ça.
Moi
j'ai arrêté d'être hypnotisée par des défaites qui sont
pas encore advenues.
J'ai arrêté d'attendre
on dirait.

Je suis souvent venue à l'aéroport.
Je me suis souvent retrouvée toute seule après
mais là c'est pas pareil.

Au début
je voulais trouver comment te raconter que tout n'est
pas perdu.

Mais je pense que
je pense que c'est pus nécessaire.

Premièrement

j'ai pas eu le temps
deuxièmement
j'ai pas eu besoin.

Toi
vous deux
vous le savez
vous le saviez dans le fond.

Pis en fait

en fait
c'est comme si c'était vous
avec vos grands silences
qui m'aviez raconté ça :
tout n'est pas perdu
tout n'est pas perdu

tout n'est pas perdu[6].

24 mai 2011, Québec-Budapest-Montréal-Québec.

---

6. Le lecteur perspicace aura compris que le personnage de
Marie, lors de ses monologues, s'adresse toujours à Sophie,
dès le début de la pièce. Dans les didascalies, comme dans
la représentation telle qu'imaginée par l'auteure, Sophie
n'apparaît qu'après que le spectateur a assisté à leur rencontre
au café, et à leur marché consistant pour Marie à parler sans
cesse à Sophie, de tout et de rien, pour lui changer les idées,
en échange de quoi cette dernière parlera à l'enfant dans son
ventre.

Remerciements

Merci à Frédéric Dubois, mon ami, qui m'a demandé d'écrire enfin, alors que je voulais le faire et que je n'en faisais rien.

Merci à Julianna Herzberg, qui nous a offert un bout de son histoire familiale et une *ride* de six cents kilomètres à bord de sa voiture, à l'été 2007, de Dresden à Sopron.

Merci à Catherine-Amélie Côté et Isabelle Morissette, lectrices infatigables et d'une bienveillance sans fond.

Merci à Karine Lapierre, solide et sensible équipière.

Merci à Gill Champagne et Marie-Thérèse Fortin qui ont ouvert les portes de leurs théâtres à mon premier texte. J'en suis encore abasourdie, et folle de joie.

Merci à tous les acteurs et concepteurs de la création du spectacle, débordants de talent, de foi et d'amitié.

Merci au Théâtre des Fonds de Tiroirs, au Théâtre du Trident, au Théâtre d'Aujourd'hui et à Leméac, et surtout à leurs équipes.

Merci à Diane Pavlovic pour son regard aussi généreux qu'aiguisé.

Et merci à ma famille, toujours prête à s'enthousiasmer sincèrement, dans la joie, l'amour et le désordre les plus complets.

Et finalement. Le plus important.

Au mois d'avril 2009, le Théâtre des Fonds de Tiroirs a tenu un laboratoire d'une dizaine de jours qui m'a permis de jeter les bases de l'histoire à venir, et particulièrement de faire apparaître les personnages de *Tout ce qui tombe*.

Marie-Josée Bastien était Rose.
Jean-Michel Déry était Moritz.
Julianna Herzberg était Charlotte.
Olivier Normand était Christophe.
Catherine-Amélie Côté était Marie.
Marie-Soleil Dion était Sophie.
Steve Gagnon était Marco.
À ces acteurs, à mes amis, qui ont donné souffle et couleur aux histoires d'amour qui m'ont occupée pendant les deux années suivantes, je n'ai pas assez de mots pour dire merci.
Des remerciements particulièrement reconnaissants, tendres et chaleureux à Marie-Josée Bastien, Jean-Michel Déry et Marie-Soleil Dion. Vos cœurs battent dans ces pages. Je ne l'oublie pas.

*

Ce texte a vu le jour dans le cadre d'une commande du Théâtre des Fonds de Tiroirs et de son directeur artistique Frédéric Dubois.
L'auteure a par ailleurs bénéficié d'une bourse d'écriture du Conseil des arts du Canada.